Devenir soi

La liste des précédents livres de Jacques Attali
se trouve en page 189.

JACQUES ATTALI

Devenir soi

Prenez le pouvoir sur votre vie !

Fayard

Couverture : © Atelier Didier Thimonier
Illustration : D. R.

ISBN : 978-2-213-68560-1

Dans un monde aujourd'hui insupportable et qui, bientôt, le sera bien plus encore pour beaucoup, il n'y a rien à attendre de personne. Il est temps pour chacun de se prendre en main.

Ne vous contentez pas de réclamer une allocation ou une protection à l'État, arrachez-vous à la routine, aux habitudes, au destin tout tracé, à une vie choisie par d'autres. Choisissez votre vie !

Où que vous soyez dans le monde, homme ou femme, qui que vous soyez dans la société, agissez comme si vous n'attendiez plus rien des gens de pouvoir ; comme si rien ne vous était impossible. Ne vous résignez pas ! Ne vous bornez pas à dénoncer l'« horreur économique » du monde, ne vous contentez pas de vous indigner : l'une et l'autre attitude ne sont que des formes de lâcheté mondaine.

Pour vous débrouiller, pour réussir votre propre vie, ayez confiance en vous. Respectez-vous. Osez penser que tout vous est ouvert. Ayez le courage de vous remettre en question, de bousculer l'ordre établi, d'entreprendre et de considérer votre vie comme la plus belle des aventures.

Pour trouver la force de le faire, réfléchissez sur toutes les instances qui conditionnent votre avenir.

Vous verrez alors que vous êtes beaucoup plus libre que vous ne le croyez ; que, qui que vous soyez, quel que soit votre âge, quelles que soient vos ressources matérielles, votre sexe, votre origine et votre situation sociales, vous pouvez affronter des difficultés qui vous paraissaient insurmontables, changer radicalement votre destin, celui de ceux qui vous aiment et que vous aimez, et celui des générations à venir, dont dépendent votre bien-être et votre sécurité.

Les femmes en sont particulièrement empêchées. Si elles y réussissent, elles bouleverseront le monde.

Ce dont je parle ici n'est significativement désigné par aucun mot en français, ni dans aucune autre langue que je connaisse. Il ne s'agit pas de résistance, ni de résilience, ni de libération, ni de désaliénation, ni de pleine conscience. Je proposerai ce mot : le « *devenir-soi* ».

Le monde est dangereux et le sera de plus en plus : la violence rôde partout, elle se déchaîne en maints endroits au nom des pires intolérances et des idéologies les plus obscures ; des guerres de religion se rallument ; des sécessions se multiplient ; des différences ne se nourrissent plus les unes des autres ; l'environnement se dégrade ; la nourriture est de plus en plus polluée ; l'emploi disparaît ; les classes moyennes se défont ; la croissance ne permet pas de répondre aux besoins d'une population urbaine de plus en plus dense et solitaire ; les inégalités se creusent entre quelques riches et un nombre immense de pauvres. L'un après l'autre, tous les filets de sécurité se déchirent.

La croissance n'étant plus au rendez-vous, pour maintenir leur niveau de vie menacé de toutes parts, États, entreprises, particuliers vivent de plus en plus à crédit, aux crochets des générations passées, dont ils pillent l'héritage, et des générations futures, dont ils dégradent le patrimoine.

Face à ces périls, la plupart des hommes politiques et des dirigeants d'entreprise, presque tous préoccupés par leur seul présent, se contentent de gérer au mieux le quotidien et de colmater les brèches ; les politiciens ne cherchent qu'à améliorer leur popularité auprès des électeurs par des décisions démagogiques ; les chefs d'entreprise, auprès de leurs actionnaires par la recherche frénétique de profits trimestriels.

Tous oublient que les vivants d'aujourd'hui auraient pourtant un intérêt égoïste à penser au long terme, soit parce qu'ils font aussi partie des générations passées (plus d'un tiers de l'humanité actuelle était déjà sur terre il y a cinquante ans), soit parce qu'ils font déjà partie des générations futures (plus des deux tiers de nos contemporains seront encore vivants dans trente ans).

En France en particulier, les dirigeants successifs ont laissé le pays s'enfoncer depuis deux décennies dans un lent déclin, un engourdissement qui pourrait devenir mortel.

Lassé d'avoir dit, écrit et répété depuis si long-temps qu'il est urgent de réformer la gouvernance du monde, de l'Europe et de mon pays ; lassé d'expo-ser le détail de toutes les mesures urgentes à prendre pour éviter les catastrophes écologiques, retrouver une croissance durable et juste, fournir à chacun les moyens de vivre pleinement sa liberté sans la refu-ser aux autres ; lassé d'entendre les hommes et les femmes de pouvoir, de tout parti, de tout pays, dont le mien, me dire en confidence qu'ils partagent avec moi le diagnostic et la prescription, qu'ils savent ce qu'il faudrait faire, mais que ce n'est pas le moment de le mettre en œuvre en raison de la crise, ou de l'absence de crise, ou de leur popularité, ou de leur impopularité ; lassé de les voir se réfugier derrière leur scepticisme, leur cynisme, leur narcissisme, leur autosatisfaction, leur égoïsme, leur avidité, leur pusil-lanimité, leur orgueil ; enragé de les voir procrasti-ner en rois fainéants soucieux de leur seul intérêt, je voudrais désormais dire à chacun d'entre vous : n'at-tendez plus rien de personne, faites un nouveau pari à la Pascal !

Ce grand génie français avait proposé, en son temps, de faire le pari de croire en Dieu indépendamment de toute révélation ; de croire sans preuve ; parce que, expliquait-il, nul n'a rien à y perdre : s'Il n'existe pas, on ne sera pas puni d'y avoir cru ; s'Il existe, on sera peut-être récompensé de l'avoir honoré.

Je propose d'agir de même dans le monde d'aujourd'hui : faire le pari de prendre le pouvoir sur sa propre vie, de se trouver, indépendamment de l'hypothétique action des autres. Parce qu'en toute hypothèse on a tout à y gagner.

En effet, de deux choses l'une :

Soit, comme c'est le plus probable, les puissants, publics et privés, ne seront pas à la hauteur des enjeux ; alors chacun aura agi à temps pour suppléer pour lui-même, au moins, à leur impuissance.

Soit, au contraire, les hommes de pouvoir se décideront enfin à affronter les enjeux écologiques, éthiques, politiques, sociaux et économiques du siècle. Là encore, de deux choses l'une : soit ils échoueront, ce qui ramènera au cas précédent ; soit ils réussiront, et nul n'aura rien perdu à s'inscrire au mieux, par son initiative personnelle, dans l'abondance retrouvée.

Certes, cette liberté, but ultime, n'est pas et ne sera jamais illimitée : le même Blaise Pascal nous rappelle que notre vie se déroule à l'intérieur d'une prison, déterminée par les conditions de notre naissance et les exigences de notre mort. À nous d'en écarter les murs. C'est encore lui qui compare la liberté de tout homme avec celle du paysan : sa récolte dépend de son travail autant que de la pluie et de la fertilité de son champ, qui lui échappent.

Faire un tel pari ne va pas de soi : bien des gens se résignent à n'être, toute leur vie, que ce que les autres ont décidé qu'ils seront ; ils mènent l'existence que les autres, ou les hasards, ont tracée pour eux là où ils sont nés. Par peur. Par paresse. Par passivité.

Ils survivent au mieux, trouvant parfois de minces bonheurs dans les anecdotes de leurs destins.

D'autres croient y échapper en s'indignant ; ils critiquent, manifestent, protestent. Jamais ils ne transforment leur indignation en actes. Ni pour réussir leur propre vie, ni pour améliorer celles d'autres. Où qu'ils soient, ils ne font que se donner bonne conscience et s'inventer d'honorables sujets de conversation.

D'autres, enfin, refusent le destin que la société, la religion, la famille, la classe sociale, la nation où ils sont nés, leurs moyens matériels, leur sexe, leur patrimoine génétique prétendent choisir pour eux ; ils s'arrachent aux déterminismes de toute nature ; ils se choisissent à leur gré, sans obéir à leurs aînés, des études, un métier, un physique, une orientation sexuelle, une langue, un conjoint, un combat, un idéal, une éthique. Ils quittent parfois leur famille, leur pays. Ils cherchent en quoi ils sont uniques. Ils se forgent une utopie et cherchent à la réaliser. Ou, plus modestement, ils décident de se prendre en main et de ne plus rien attendre de personne : ni emploi ni épanouissement. Ils tentent alors de devenir eux-mêmes. Ils ne réussiront certes pas tous. Au moins auront-ils été libres en essayant.

Une telle recommandation n'est évidemment pas facile à suivre : pendant des millénaires, au nom des dieux, princes et prêtres ont imposé leur pouvoir aux hommes qui ont, à leur tour, imposé leurs caprices aux femmes et aux enfants. Aujourd'hui encore, le sort de presque tous les humains – surtout les femmes et les enfants – dépendent de forces écrasantes, visibles ou invisibles, matérielles ou immatérielles, économiques ou idéologiques, financières ou politiques, religieuses, militaires ou climatiques ; du bon vouloir des autres, de leurs désirs, de leur folie, de leur violence ou de leur indifférence.

Chacun, même parmi les classes moyennes des pays riches, peut penser qu'il n'a aucun pouvoir sur l'environnement, la paix, la guerre, la croissance, l'emploi, l'évolution du climat et celle des technologies ; donc aucun pouvoir sur l'essentiel de ce qui fait sa propre vie. Et de fait, bien des gens ne réaliseront pas leurs rêves. Ils ne sont pas – et ne seront pas – les artistes, les médecins qu'ils auraient rêvé d'être.

Et pourtant : presque tous les humains, hommes et femmes, même les plus faibles, les plus démunis, les plus écrasés par les diverses forces qui se disputent le monde, ont la capacité de prendre le pouvoir sur leur propre vie. S'ils ressentent le besoin vital de se libérer ; s'ils apprennent à ne pas se résigner, à résister, à trouver dans leur vie intérieure et dans l'exercice de leur raison une façon de se libérer des déterminismes qui les asservissent.

Bien des événements peuvent provoquer une telle prise de conscience : une situation matérielle améliorée ou dégradée ; le sentiment de sa mort prochaine ou d'une santé florissante ; une réflexion sereine ou une crise existentielle ; un profond chagrin ou un accès de bonheur ; un moment de solitude ou un coup de foudre ; le désir de soi ou le besoin de l'Autre dont la présence est déjà rupture à soi.

Il s'agit là de bien plus que de résilience ; il n'y est pas seulement question de survivre aux crises, ni de se tirer d'affaire dans la vie quotidienne, mais de se trouver, de réussir sa vie, de découvrir la raison de sa présence sur cette terre pour « devenir-soi » et trouver le courage de se débrouiller par soi-même.

De cet arrachement aux autres, de cette prise de pouvoir de chacun sur soi-même sortiront des cohortes de créateurs, dans leur vie privée ou leur activité professionnelle ; ils vivront ce qu'ils sont et créeront pour eux-mêmes et pour le reste de l'humanité. S'ils éclosent en grand nombre, s'ils en aident beaucoup d'autres à devenir soi, les crises seront bientôt surmontées ; l'abondance, la paix, la tolérance et la liberté prévaudront ; il deviendra possible de faire de notre planète non pas un paradis, mais à tout le moins un monde vivable pour la quasi-totalité de ses habitants.

Pour y parvenir, il faudra, pour chacun, apprendre à distinguer ce que j'appellerai ici l'« Événement », la « Pause » et la « Renaissance ». Suivre les exemples et le « Chemin » en cinq étapes que décrit la suite de ce livre. Oser affronter la salvatrice solitude.

PREMIÈRE PARTIE

LA RÉSIGNATION DU MONDE

CHAPITRE 1

L'irrésistible ascension du Mal

Est-il vraiment possible de prendre sa vie en main ? Faut-il s'y risquer ? Ne vaut-il pas mieux rester spectateur d'une histoire qui nous dépasse, laisser le hasard et les autres choisir notre destin, et se contenter de réclamer aux puissants – États et patrons – une plus juste part des richesses créées ?

De fait, le Mal semble partout l'emporter, ne laissant presque aucune place à l'espoir d'une réussite individuelle. La violence rôde et frappe dans maints endroits : théâtres de drames depuis longtemps, comme le Proche et Moyen-Orient ; les lieux plus inattendus, de l'Ukraine à l'Afrique subsaharienne. Elle touche de plus en plus les civils, femmes et enfants que les états-majors utilisent de plus en plus comme esclaves, soldats, otages ou boucliers humains.

Le chômage croît presque partout et frappe surtout, et de plus en plus, les plus jeunes, même diplômés. Près de la moitié de l'humanité vit en dessous du seuil de pauvreté et n'a guère de perspectives d'en sortir. Les inégalités sont devenues énormes et ne cessent de s'accroître. Les 85 personnes les plus riches de la planète détiennent autant de richesses que les 3,5 milliards les plus pauvres.

La démographie continue d'exploser dans de nombreux pays : ainsi, la population du Nigeria quintuplera d'ici à la fin du siècle, passant de 174 millions d'habitants à 440 millions en 2050 et à 914 millions en 2100 ; celle de la République démocratique du Congo passera de 68 à 155 millions en 2050 ; celle du Niger, de 20 à 200 millions en 2100 ; de même, les populations de la Tanzanie, de l'Éthiopie, de l'Ouganda doubleront au moins en trente ans. À l'inverse, celles de la plupart des pays européens vont diminuer ; d'ici à 2050, la Bulgarie perdra 30 % de ses habitants, l'Ukraine, 25 %, la Russie, 15 %, l'Allemagne, 12 %. En Asie, le Japon perdra 15 % de ses effectifs. Au mitan de ce siècle, on comptera plus de Français que d'Allemands, et, plus tard, si la tendance continue, de Nigerians que de Chinois. Sans qu'on puisse réorienter cette tendance, il y aura à la fin du siècle 7 milliards de citadins pour 3 milliards de ruraux. Au vu de ces faits, il semble difficile d'imaginer qu'on puisse fournir à tous les moyens de travailler, de se loger, de se déplacer, de manger ; qu'on puisse assurer une retraite décente aux 2 milliards de personnes âgées (dont le nombre augmentera deux fois plus vite que celui du reste de la population) ; qu'on puisse déménager et accueillir décemment le milliard de gens au moins qui devront s'exiler pour raisons climatiques et politiques ; ou même qu'on puisse, en particulier en Asie, faire naître autant de filles que de garçons en raison des pressions culturelles qui les excluent et des progrès techniques qui permettent désormais des avortements sélectifs. Aucun État n'a aujourd'hui les moyens d'influer significativement sur toutes ces évolutions qui déterminent tous les destins individuels.

Les évolutions technologiques, si elles sont spectaculaires, ne semblent pas pouvoir, dans les décennies à venir, améliorer significativement la vie des gens. De fait, si les innovations les plus récentes (du téléphone mobile à Internet, des moteurs de recherche à la lecture du code génétique) ont bouleversé les façons de travailler et de consommer (en supprimant l'intermédiation dans des secteurs tels que le commerce, la culture, en rénovant le management de l'entreprise et de l'administration, en stimulant les échanges), elles n'ont pas arrangé la vie des gens autant qu'ont pu le faire la machine à vapeur, le moteur à explosion ou l'électricité. De plus, le progrès technique a eu récemment – et on aura de plus en plus – des effets socialement et politiquement négatifs : d'innombrables robots supprimeront d'innombrables emplois ; l'Internet des objets et le *big data* permettront aux pouvoirs publics et privés de surveiller et contrôler de plus en plus près la vie de chacun ; enfin, les objets connectés, les nanotechnologies, les biotechnologies, les neurosciences, le cœur artificiel, l'utérus artificiel, l'homme-prothèse, jusqu'au clonage et aux chimères susciteront des évolutions irréversibles de la nature et de l'humanité. Là non plus, nul n'est en mesure, pour l'instant, d'infléchir significativement ces évolutions. L'ascension du Mal semble inéluctable.

En outre, le progrès technique ne fournira pas les moyens d'empêcher la prolifération des armes ; il n'aidera pas non plus à contenir la hausse de la température moyenne du globe de 3 degrés d'ici la fin du siècle ; glaciers et calottes glaciaires vont continuer de fondre, provoquant, avec la dilatation thermique de l'eau, une élévation du niveau des mers de près d'un mètre, menaçant de ce fait 136 métropoles côtières, dont New York, et d'autres deltas très peuplés tels celui du Gange et du Brahmapoutre.

Les terres émergées et cultivables diminuent, notamment dans des zones densément peuplées. Quatre-vingt-dix pour cent des populations urbaines sont soumises à des pollutions nuisibles pour la santé et qui aggravent les situations de famine. Près de 4 millions de personnes meurent chaque année directement du fait de la mauvaise qualité de l'air ; ce nombre a triplé en à peine cinq ans. Trente-deux millions d'êtres humains sont des réfugiés climatiques. Plus de 50 millions sont des réfugiés politiques. D'ici 2030, le nombre de catastrophes naturelles triplera sans qu'on n'y puisse rien ; les sécheresses seront plus intenses, les cyclones tropicaux plus violents, les précipitations plus fortes, les incendies plus nombreux. Au moins 30 % des espèces animales disparaîtront à l'horizon 2050. Les épidémies virales seront de plus

en plus fréquentes ; de nouvelles maladies apparaîtront (une infection nouvelle est découverte tous les
seize mois depuis les années 2000, contre une tous
les quinze ans dans les années 1970) et se répandront
de plus en plus vite en raison du nomadisme croissant des populations.

Enfin, le vieillissement de la population entraînera une augmentation sans précédent des maladies
propres aux troisième et quatrième âges, en particulier des affections neurodégénératives. Là non plus,
les États n'y pourront rien. Ils assurent de moins en
moins la sécurité de leurs citoyens et sont de moins
en moins capables de rendre les services qu'on
attend d'eux.

CHAPITRE 2

L'inévitable « somalisation » du monde

Face à l'évolution décrite au chapitre précédent, les gouvernants ont et auront de moins en moins de pouvoir. Ils contrôleront de moins en moins les dérives de la démographie, celles de la technique et de la finance, la crise de l'emploi, l'explosion de la violence, la dégradation de l'environnement. Ils n'ont pas – et auront de moins en moins – les outils ni les moyens financiers pour répondre à ces immenses défis. Ils ne pourront presque plus rien contre l'irrésistible ascension du Mal.

Partout les États continueront d'être démantelés. Ils sont déjà très endettés et empêtrés dans la sclérose de leur bureaucratie. Au total, la dette publique mondiale a atteint 54 000 milliards de dollars en juillet 2014, soit près de 72 % du PIB mondial.

En particulier, dans les démocraties, les dirigeants, obsédés par l'impact à très court terme de leurs décisions, ne savent plus, n'osent plus se préoccuper du long terme et refusent d'être ne serait-ce que provisoirement impopulaires. Aucune décision significative d'un État n'est plus possible sans que des corporatismes viennent en bloquer la mise en œuvre. Même si, dans les pays les plus riches, l'État manipule plus de la moitié de la richesse produite chaque année, il est de plus en plus inefficace, indifférent à l'avenir. Mesure de la faiblesse des démocraties, les dettes publiques y augmentent plus qu'ailleurs : 100 % du PIB aux États-Unis ; 96 % pour la zone euro ; 89,5 % pour l'Union européenne.

Les pays membres de l'Union se sont privés à bon escient de nombreux moyens d'action, dont, pour certains, la monnaie, sans pour autant se doter encore d'un État fédéral capable d'assumer à leur place les fonctions vitales de tout État. En France même, l'exécutif a perdu de nombreux moyens de contrôler le destin du pays en raison de la construction européenne, des privatisations et de la décentralisation. Beaucoup d'autres pays européens bradent, tels la Grèce, le Portugal, l'Espagne, l'Italie, leurs infrastructures publiques : l'État grec vient de se débarrasser de 38 aéroports, de 700 kilomètres d'autoroutes, de 12 ports et d'une compagnie produisant les deux tiers de l'électricité nationale. En Espagne, l'État se désengage du système de santé et organise la privatisation de 46 aéroports. Cette mise à l'encan du secteur public ne peut que se poursuivre et réduire encore les moyens des États.

Dans de très nombreux autres pays sur d'autres continents l'État est plus encore impuissant face aux enjeux de l'avenir, incapable même d'assurer les services publics, de maintenir en état ses infrastructures, de payer ses fonctionnaires, ses policiers, ses soldats, de lutter contre les épidémies, les trafiquants, les mafias, le terrorisme. Et plus encore de former et d'aider chacun de ses citoyens à choisir librement sa vie.

Dans les pays où l'État est particulièrement faible, tels la Somalie, la République démocratique du Congo, le Sud-Soudan ou le Tchad, le chaos s'installe en se parant parfois du nom de démocratie. L'Argentine vient de faire défaut sur ses dettes. Le Mexique, qui compte 9 des 50 villes les plus dangereuses au monde, est incapable de juguler le trafic de drogue et les règlements de comptes entre gangs. À Rio de Janeiro, un million de personnes vivent privées de tout service public dans près de 700 bidonvilles. En Inde, au moins 680 millions de personnes n'ont pas accès aux soins, à l'éducation, à l'eau potable, notamment dans l'Uttar Pradesh et le Bihar. Et rien n'indique que ces situations pourraient s'améliorer.

Partout règnent le favoritisme et la corruption : mille milliards de dollars de pots-de-vin sont versés chaque année à des fonctionnaires. En Afrique, où se trouvent 12 des 14 pays les plus corrompus au monde, 400 milliards de dollars seraient détournés chaque année et mis à l'abri à l'étranger, dont 100 milliards pour le seul Nigeria.

Rien ne permet de penser, là non plus, que cette situation puisse s'améliorer. Dans les décennies à venir, la puissance croissante du marché va achever d'affaiblir les États : il deviendra de jour en jour plus global, alors que les États resteront locaux.

Après la fin de l'hégémonie bipolaire américano-soviétique, nulle puissance ou coalition de puissances n'a pris le relais. Les rares instruments d'une gouvernance politique globale du monde se sont dissipés. Plus personne n'est le gendarme du monde. Plus personne n'est à même de s'opposer à l'ascension du Mal.

Aucune institution internationale n'est en mesure de faire régner l'ordre et la paix. Les guerres civiles en Irak, en Syrie, au Kurdistan, en Afrique centrale, le conflit israélo-palestinien, la famine au Sud-Soudan, l'échec de l'OSCE, au cœur même de l'Europe, en Ukraine, démontrent qu'aucune instance n'est désormais capable d'assurer la paix et la sécurité dans le monde ; de garantir aux plus faibles un environnement décent pour y vivre.

Les G7, G8, G20 ne sont plus que des occasions de prendre des photos rassurantes et de diffuser des communiqués vides de sens aussitôt oubliés. Depuis au moins vingt ans, aucun de ces sommets n'a fait en rien avancer la moindre cause importante. Ni économique ni écologique. Par exemple, le protocole de Kyoto sur le contrôle des émissions de gaz à effet de serre, théoriquement entré en vigueur en 2005, est mort-né du fait du refus des États-Unis (qui représentaient alors 23 % des émissions de GES) de se plier à toute contrainte.

Face au vide laissé partout par les États et les institutions internationales, les entreprises prendront de plus en plus de pouvoir sur la vie des gens : les 2 000 plus grandes firmes au monde connaissent une croissance au moins triple de celle des nations ; certaines assurent une hégémonie planétaire dans de nombreux secteurs : de la santé à la surveillance, de la distraction à l'éducation. Elles sont et seront de moins en moins enclines à laisser leur destin dépendre des exigences d'un État, quel qu'il soit. De plus, la technologie attribuera inexorablement au marché les ultimes prérogatives des États, ne leur laissant, pour un temps encore, que le droit de choisir une langue, d'homologuer des diplômes, d'autoriser des médicaments, de fixer des normes, de gérer des armées.

Même si certaines entreprises choisissent de penser le long terme, même si certaines se préoccupent, dans leur propre intérêt, des enjeux planétaires et des générations à venir, la plupart d'entre elles sont obsédées par les nécessités financières immédiates de leur survie, n'ont d'autre horizon que le profit de leurs actionnaires, et ne rassemblent plus que des effectifs de passage, mercenaires déloyaux, jusqu'au plus haut niveau de leurs états-majors. Leur capital et leurs cadres seront de moins en moins attachés à une entité nationale, leurs sièges se déplaceront là où les lois sembleront les moins contraignantes et la fiscalité la plus basse, achevant de détruire les États. Le chômage, principal ennemi de la démocratie, principal obstacle au « devenir-soi », continuera de croître.

Au total, le marché est et restera incapable de se substituer aux États dans la gestion des enjeux globaux. Entreprises et États, marché et démocratie reculeront de plus en plus devant les dissidences, les sécessionnismes, les groupes criminels et terroristes.

Les mouvements séparatistes, pacifiques ou violents, prendront de l'ampleur en Écosse, en Catalogne, en Inde, en Chine, en Ukraine, en Russie, en Birmanie, en Afrique, au Moyen-Orient. Les frontières dessinées aux XIXe et XXe siècles ne seront plus respectées. Les groupes terroristes, dont la dimension politique camouflera de plus en plus mal l'activité criminelle, profiteront de la multiplication des connexions et des échanges pour s'internationaliser.

Les économies illégales et criminelles pèseront de plus en plus sur la vie des hommes, jusque dans les nations les plus policées, défiant et rognant encore les moyens de l'État. Le respect du droit de propriété ne sera plus assuré. La contrefaçon sera de plus en plus la règle. On assistera à l'explosion de la commercialisation des femmes et des enfants, des organes et des embryons. Le commerce de substances illicites, le trafic d'organes et de personnes humaines, et celui des armes, les plus terribles comme les plus sommaires, seront de plus en plus répandus. Le chiffre d'affaires des activités illégales, censé représenter déjà environ 8 000 milliards de dollars – presque trois fois le PIB de la France –, et celui de l'activité criminelle (2 000 milliards) croîtront massivement et seront d'ailleurs intégrés dans les statistiques officielles. Dans la seule Italie, le chiffre d'affaires de l'organisation mafieuse 'Ndrangheta s'est élevé à 53 milliards d'euros en 2013. La cybercriminalité, qui coûte chaque année près de 750 milliards d'euros aux entreprises qui en sont victimes, augmentera encore. Un très grand nombre d'armées seront rattachées à des entreprises ou à des pouvoirs autoproclamés.

Le monde ressemblera de plus en plus à ce que fut la Somalie à partir de 1991, quand ce pays perdit tout moyen d'appliquer une règle de droit ; et surtout quand, après l'échec, en 1995, d'une tentative des forces américano-onusiennes visant à y rétablir l'ordre, son gouvernement s'exila au Kenya, laissant le champ libre aux seigneurs de la guerre, aux chefs mafieux, aux fondamentalistes religieux et aux terroristes de toute nature, sur terre comme sur mer. Cette « somalisation » du monde gagne du terrain. Il n'y aura alors non seulement plus de pilote dans l'avion, mais même plus de cabine de pilotage ! Et pas davantage de bastilles à prendre. Chacun devra choisir entre la résignation et la rébellion.

CHAPITRE 3

Les « résignés-réclamants »

Malgré ces désastres à nos portes, et en dépit de l'impuissance croissante des États, les hommes et femmes politiques continuent de faire comme si tout dépendait d'eux ; ils persistent à faire campagne sur des programmes et des promesses ; s'engageant, s'ils sont élus ou s'ils prennent le pouvoir, à améliorer l'environnement, à réduire les inégalités, à créer des emplois, à rétablir la croissance, à distribuer des allocations, des postes, des subventions, des déductions fiscales.

Refusant de voir venir la fin d'un monde, la plupart des citoyens – pas seulement dans les pays d'Occident – continuent de feindre de les croire, d'attendre tout d'eux, réclamant priorités, dérogations et avantages. Lorsqu'ils sont déçus par un parti, ils courent vers un autre avant que celui-là, puis un autre encore, de plus en plus extrêmes, ne les déçoivent à leur tour.

De fait, depuis l'aube des temps, toute société (religieuse ou laïque), tout pouvoir (celui des pères, des prêtres, des généraux, des seigneurs, des maîtres, des élus, de l'État), font tout pour que chaque personne placée sous leur autorité ait une mauvaise image d'elle-même ; pour que chacun se sente dépendant, depuis le berceau jusqu'au cimetière ; pour que chacun soit mis en situation de ne pas avoir le désir ni l'audace de se débrouiller seul ; pour que chacun soit tout à la fois résigné sur son destin et en réclame un meilleur.

« L'université, écrivait Simon Leys, devrait être le lieu où les gens deviennent ce qu'ils sont vraiment. » Elle ne l'est presque nulle part. L'école, censée permettre à chacun d'apprendre, de s'orienter, de se découvrir, de choisir sa vie, n'y parvient pas. De par le monde, un jeune sur huit n'est ni au travail, ni dans une filière éducative, ni en formation. L'orientation est partout en faillite et conduit à choisir sa vie par défaut.

Dans les démocraties, les citoyens regardent les cours de bourse et les indicateurs économiques déterminer croissance et emploi ; ils s'acceptent impuissants, dépassés ; ils se savent incapables de prendre leur condition en main, de la changer en quoi que ce soit, de choisir leur vie. Ils réclament à l'État de la sécurité (c'est-à-dire de la défense, de la police, de la santé, un emploi qui passe par une formation), exigeant les meilleurs services pour le prix le plus bas ; le plus de dépenses publiques avec le moins d'impôts ; ils sont consommateurs égoïstes de services publics qu'ils ne songent plus eux-mêmes à rendre aux autres. En particulier, les prochaines générations refusent d'être solidaires des adultes d'aujourd'hui : un jeune Japonais sur deux, un jeune Grec sur deux refuse de payer pour les dettes de leurs aînés.

Je nomme ces gens – largement majoritaires, et pas seulement au sein des démocraties – les « résignés-réclamants ». Résignés à ne pas choisir leur vie ; réclamant quelques compensations à leur servitude.

Étrange monde : dans des sociétés en apparence de plus en plus individualistes, de moins en moins de gens réalisent leurs rêves, de plus en plus acceptent de ne faire que réclamer les miettes d'une abondance. Et lorsqu'ils croient s'en échapper, c'est par l'ersatz de la distraction, de la collection, du bricolage.

Telle est en particulier la condition des citoyens des démocraties dites avancées. Tel est, pour beaucoup, le critère principal de leurs choix électoraux. Telle est l'explication de la lâcheté d'hommes politiques qui n'osent plus entreprendre des réformes impopulaires et ne font qu'ajouter des promesses nouvelles à celles qu'ils n'ont pu tenir. Telle est aussi l'explication de l'évolution idéologique du monde vers un populisme toujours plus sécuritaire, de plus en plus barricadé, où chacun préfère le repli sur d'illusoires certitudes : le totalitarisme paternaliste et xénophobe correspond aux attentes à venir des « résignés-réclamants ».

Mais comme, avec la mondialisation du marché, les États, même les plus dirigistes et les plus fermés, seront de moins en moins capables d'assurer ces protections, ces populismes sécuritaires, nationalistes et xénophobes échoueront aussi.

Le marché prendra alors plus encore le relais pour fournir à ces insatiables consommateurs de sécurité davantage d'outils de surveillance, de moyens de leur aliénation, d'instruments de leur résignation. Déjà il offre à la vente des moyens de se soumettre à la norme et de se résigner : le marché légal commercialise des moyens d'assurer sa sécurité, de suivre une mode, de maintenir un poids ; il fournit aussi, avec les distractions, les moyens de se résigner au réel en lui échappant ; il aide aussi à accéder à des ersatz de liberté, à des sources de bonheur dans quelques espaces de vie : un « résigné-réclamant » trouve toujours la force d'aimer, de faire du sport, de bricoler. Le marché illégal, lui, fournit des drogues, autres moyens d'échapper au réel, à plusieurs centaines de millions de clients à travers le monde.

Le marché continuera un temps de s'appuyer sur des États obèses et paralysés qui ne feront que redistribuer des ressources pour uniformiser au mieux les conditions des classes moyennes.

Bien des gens ne se résignent pas à réclamer ; ils se prennent en main, agissent, se débrouillent. Ils ne croient pas à l'irrésistible ascension du Mal. Ni à l'inéluctable « somalisation » du monde. Ils rejettent aussi l'idée d'être des « résignés-réclamants ». Ils rêvent à leur vie comme à une œuvre d'art, veulent la choisir. Ce sont leurs aventures qui font l'objet des chapitres suivants.

DEUXIÈME PARTIE

LA RENAISSANCE EST EN MARCHE

Bien des mouvements d'idées poussent à revendiquer la liberté sous toutes ses formes. Bien des
individus ont commencé à ne rien attendre des pouvoirs, à se prendre en main, à se débrouiller, à choisir leur vie. Bien des « devenir-soi » sont en cours :
ceux-là osent ne pas se laisser dicter leur vie par les
désirs des autres ; ne pas se contenter de consommer, que ce soient des objets, des services, des prothèses ou de la politique.

Ce ne serait pas la première fois qu'une telle évolution positive aurait lieu : au XVe siècle, en Europe,
princes et évêques, empereurs et pape prétendaient
régenter les âmes et les corps ; la population de
chaque province remettait son sort à des prélats et
à leurs affidés, à des seigneurs et à leur soldatesque.
Le pape et l'empereur romain germanique se disputaient l'héritage des Césars. Les royaumes de France,
de Castille, d'Angleterre, aux territoires beaucoup
plus étroits qu'aujourd'hui, se livraient des batailles

sans merci. Conflits, épidémies, bûchers, violences se multipliaient. L'intolérance était la règle, les guerres de religions faisaient rage. Aucune maladie n'était curable ; la peste noire continuait à détruire la population de l'Europe province après province.

Un nouveau siècle de misère et d'horreurs s'annonçait, et bien des écrivains du temps prédisaient que ce siècle serait encore pire que les précédents : Eustache Deschamps à la fin du XIVe siècle (musicien, poète et audacieux conseiller du duc d'Orléans) écrivait sa *Ballade sur le trépas de Bertrand du Guesclin* ; Jacques Despars (médecin, chancelier de l'Église de Paris) dénonçait l'incurie des puissants ; Jean Meschinot (écuyer de corps et de chambre du duc de Bretagne et surtout poète) écrivait son sublime *Rondeau de ceux qui se taisent*. Tous pensaient que le siècle commençant serait tout aussi terrible que s'annonce pour nous aujourd'hui le XXIe tel que décrit à grands traits aux chapitres précédents.

Et pourtant, au même moment, notamment en lisant d'autres auteurs (tels Pétrarque, Boccace, Albert le Grand, Thomas d'Aquin, Jean Bodin, Pic de la Mirandole), on aurait pu déceler de faibles signaux révélant toutes les promesses du temps ; on aurait pu en particulier voir que, hors des puissances féodales dominantes du moment, en Lombardie, en Vénétie, en Flandres, le réveil de la raison, le désir de s'enrichir, le mouvement des idées, la libération des corps, le retour de la pensée grecque, juive et arabe, la lecture directe des Évangiles, la naissance du portrait, les innovations technologiques (l'imprimerie, la comptabilité) s'accompagnaient de la découverte de continents et de l'avènement d'autres acteurs sociaux : entrepreneurs, marchands, financiers, découvreurs, armateurs, cartographes, poètes, musiciens, peintres, philosophes, savants commençaient à mettre en mouvement les gens et les choses et réinventaient leur vie.

La Renaissance, contemporaine, tout au long des XVe et XVIe siècles, de massacres et de persécutions, ultimes crispations d'un monde moribond, commençait.

CHAPITRE 1

Les signaux faibles
d'une nouvelle Renaissance

Il en va de même aujourd'hui : l'ascension du Mal et la « somalisation » du monde, telles que décrites précédemment, ne sont pas inéluctables, le contexte mondial regorge d'opportunités ; une Renaissance est possible. Tous les hommes et toutes les femmes ne se contentent pas d'être des « résignés-réclamants ».

Récapitulons quelques-uns des signaux qui l'annoncent :

Les deux milliards de personnes que la croissance démographique ajoutera en trente ans à l'humanité aspireront, pour la plupart et de diverses manières, à la liberté et à la démocratie. Ainsi de la jeunesse indienne, devenue une force à la fois démographique (430 millions de 15-34 ans en 2011, soit +22 % en dix ans) et idéologique (elle pense à 94 % – score le plus élevé au monde – que voter est un devoir). Ces jeunes ont commencé à changer leur société, pour le meilleur, en lançant des mouvements anticorruption,

des campagnes pour le respect des femmes, contre
le viol, pour la disparition des castes.

Par ailleurs, le progrès technique pourrait ne pas
avoir que des effets négatifs. Il pourrait en particulier permettre de mieux se débrouiller par soi-même ;
de se soigner, d'apprendre, de se nourrir, de se loger,
d'échanger mieux que jamais ; d'économiser beaucoup
d'énergie ; de maîtriser les émissions de gaz à effet de
serre ; de réduire les travaux les plus pénibles et les
plus fastidieux ; de rendre de façon bien moins oné-
reuse et plus efficace un grand nombre de services,
de la santé à l'éducation, de la sécurité à la justice ; de
vivre au moins jusqu'à 120, peut-être même 140 ans
pour ceux qui naîtront à partir de 2050. De très nombreuses maladies pourraient être définitivement éradi-
quées, dont la lèpre, la dengue, la filariose lymphatique,
et les helminthiases qui affectent aujourd'hui plus d'un
milliard d'êtres humains. D'ici à 2050, la tuberculose et
le SIDA pourraient disparaître ; la fièvre Ebola pourrait être jugulée. De nouvelles découvertes en matière
de neurosciences pourraient permettre de mieux soigner les maladies neurodégénératives et de mieux adap-
ter les méthodes pédagogiques aux besoins spécifiques
de chacun. L'apprentissage pourrait devenir de plus en
plus démocratique et ludique. Les formations en ligne
rendraient les cours des meilleurs professeurs des meil-
leures universités accessibles aux étudiants des quatre
coins du monde. Le Web sémantique pourrait permettre d'automatiser et d'améliorer un grand nombre
de services de conseil. Le *cloud computing* devrait

permettre d'innombrables applications, en particulier le partage de contenus pédagogiques. Les laboratoires virtuels ou contrôlés à distance pourraient permettre aux étudiants et professeurs de sciences des zones défavorisées d'avoir accès à des expériences coûteuses. L'impression 3D pourrait rendre accessibles à tous, à très bas prix, d'innombrables objets, entraîner une explosion de la créativité dans la conception de nouveaux produits, ouvrant de nouvelles façons de tout faire par soi-même, de se débrouiller. Les transports pourraient devenir beaucoup plus intelligents, plus pratiques, plus économes en énergie ; les véhicules – automobiles, trains, avions – pourraient être autoguidés, réduisant les embouteillages. Tous les nouveaux immeubles pourraient produire plus d'énergie qu'ils n'en consomment, transférant leurs excédents à des réseaux déconcentrés et intelligents ; ils pourraient même devenir autosuffisants en production agricole biologique.

Les ressources financières de plus en plus considérables détenues par des classes moyennes de plus en plus nombreuses et des rentiers de plus en plus riches permettraient de financer tout cela, en particulier de construire des centaines de milliers de kilomètres d'autoroutes, de lignes de chemin de fer, de fibres optiques ; des milliers de ponts, de barrages, d'hôpitaux, d'universités. L'Afrique, l'Inde, l'Amérique latine, l'Indonésie, les Philippines, le monde arabe pourraient ainsi enfin fournir à leurs populations des infrastructures décentes. Au Brésil, un nouveau barrage érigé à Belo Monte, au cœur de l'Amazonie, sera le troisième plus puissant au monde (après celui des Trois-Gorges, en Chine, et le barrage d'Itaipu) et il produira 10 % de l'électricité du pays ; d'autres barrages géants sont à l'étude, notamment au Congo (Inga III) et en Chine (sur le Brahmapoutre, au Tibet) ; s'ils sont construits dans le respect de l'environnement, ils amélioreront massivement la vie de centaines de millions de gens. À Pékin, la construction du plus grand aéroport au monde, pouvant recevoir 130 millions de passagers par an, sera terminée en 2018. Aux Émirats arabes unis, 1 200 kilomètres de lignes ferroviaires sont actuellement en construction pour connecter l'ensemble du pays. À Hyderabad, en Inde, la construction d'une rocade de métro de 72 kilomètres permettra de décongestionner la ville, comme ce sera le cas dans beaucoup d'autres cités du pays. Grâce à des investissements du même type, dont la liste est d'ores et déjà dressée, l'Europe pourrait elle aussi, si elle le décidait, interconnecter ses principales villes par de grands corridors ferroviaires et des réseaux gaziers, électriques et numériques.

Parallèlement, le désir de liberté politique et économique se répand sur toute la planète. La démocratie progresse face aux dictatures. Le marché remplace partout le plan. De plus en plus de gens veulent choisir leur vie, voter librement, ne pas craindre l'arbitraire, ne pas obéir à des diktats, qu'ils soient religieux ou laïques, consommer ce qui leur plaît. Tant et si bien que d'aucuns ont pu pronostiquer que l'Histoire se réduirait désormais à l'inéluctable généralisation de la démocratie de marché.

De fait, la démocratie pourrait d'abord se réinstaller là où elle a reculé, à l'instar de ce qui semble depuis peu devenir possible en Somalie : même si les services publics de base y restent inexistants et si les Shebabs continuent de mener des opérations de guérilla, ce n'est plus tout à fait un État en faillite ; les Shebabs ont été chassés en 2011 de Mogadiscio par des forces armées éthiopiennes et internationales, abandonnant ensuite un à un la quasi-totalité de leurs bastions du sud et du centre du pays ; le ralliement au gouvernement central de transition de mouvements tels qu'Ahlu Sunna wal Jamaa a permis de faire avancer la réconciliation des différentes factions.

La démocratie s'installe aussi dans de nombreux autres pays où elle était absente : les Philippines, qui ont subi durant près de vingt ans la loi martiale, la corruption et le népotisme propres au régime de Ferdinand Marcos, ont pu, après la révolution qui l'a chassé du pouvoir, renouer avec la démocratie ; l'actuel président élu en 2010, Benigno Aquino III, lutte contre la corruption et a obtenu la signature d'un accord de paix historique avec les rebelles musulmans du sud du pays. La Colombie, auparavant minée par les guérillas et le narcotrafic, est devenue l'une des démocraties les plus stables d'Amérique latine, et l'état de droit est pratiquement rétabli dans tout le pays ; la ville de Medellín, autrefois symbole des cartels de la drogue, a été élue en 2013 « ville la plus innovante de l'année » par le *Wall Street Journal*. La Tunisie s'extirpe de trois années difficiles après avoir chassé le dictateur Ben Ali lors de la « révolution de jasmin » et traversé les troubles liés à l'exercice du pouvoir par le parti islamiste Ennahdha ; en janvier dernier, une constitution y a été adoptée ; un gouvernement technocratique dirige le pays depuis, dans l'attente d'élections législatives et présidentielle. Nombre d'autres pays pourraient emprunter la même voie, preuve que rien n'est irréversible.

Les ensembles régionaux pourraient se renforcer, assurant un meilleur environnement politique pour chacun. L'Union européenne, premier ensemble économique et commercial au monde, renforcée politiquement par la création de l'euro, puis, plus récemment, par la mise en place de l'Union bancaire, pourrait aller beaucoup plus loin encore, jusqu'à la constitution d'une entité fédérale, condition de sa survie, qui ferait d'elle la première puissance politique planétaire. En Asie du Sud-Est, l'ASEAN vise à s'inspirer de ce modèle. L'Afrique renforce ses mécanismes de coopération économique et politique autour de l'Union africaine.

Un état de droit mondial pourrait même un jour se mettre en place, avec la généralisation d'un véritable droit transnational et de tribunaux internationaux *ad hoc* qui pourraient imposer progressivement le respect des droits de la personne humaine et des normes communes de protection des épargnants, des consommateurs, des travailleurs et des citoyens en général.

Tablant sur de tels pronostics optimistes, trop de gens, incorrigibles spectateurs de leur propre vie, penseront que, si le meilleur est ainsi possible, voire à leur portée, ils n'ont aucune raison de se prendre en main, de déployer des efforts, de prendre des risques. Consommateurs de plus en plus exigeants de la politique, ils s'en remettront à la perpétuation et à la consolidation du système en place et exigeront de lui emplois, augmentations et subventions. Ils resteront des « résignés-réclamants ».

D'autres considèreront encore que le « devenir-soi » n'est possible qu'à l'extérieur à toute vie professionnelle et sociale, qu'ils continueront de se résigner à ne le trouver que dans le loisir, la collection, le bricolage. Ceux-là cultiveront des jardins ouvriers, collectionneront les timbres ou les monnaies. Ils resteront à leur façon des « résignés-réclamants ». Parce que, ne changeant rien à leur mode de vie, ils ne feront que le rendre un peu plus tolérable, par les pauses que le système leur accorde parcimonieusement.

Quelques autres, enfin, d'abord rares, puis de plus en plus nombreux, pensent et penseront sans cesse davantage que, malgré ces signes encourageants, rien ne viendra à eux s'ils ne vont pas eux-mêmes le chercher. Ils comprendront que la liberté devra s'arracher, et non être attendue. Que la pauvreté demeurera leur lot s'ils ne créent pas eux-mêmes des richesses. Que leur vie peut devenir une œuvre d'art, s'ils le décident.

D'ores et déjà (comme au milieu de l'obscur et terrifiant XVe siècle), ceux-là refusent de se résigner, de quémander ; ils n'attendent plus rien que d'eux-mêmes ; ils se soustraient à ce que les autres attendent et veulent qu'ils soient. Ils prennent le pouvoir par et sur eux-mêmes dans les interstices de ce que leur imposent la tyrannie du marché, les faux-semblants de la démocratie, la dictature des mollahs ou celle des généraux. En quittant leur pays ou leur famille ; en choisissant, sans obéir à qui que ce soit, une religion, une nationalité, des amours, des études, des métiers, des pays de résidence, des sexualités, des statuts sociaux différents de ceux que leurs sociétés, leurs parents, leurs professeurs, leurs patrons, leurs prêtres, leurs politiques ont voulus pour eux ou prétendent leur imposer.

Parmi ceux qui empruntent cette voie, certains ne visent qu'à réussir leur épanouissement personnel, à échapper à cette image d'eux-mêmes dont la société prétend les affubler ; d'autres deviennent artistes ou entrepreneurs ; d'autres encore trouvent leur bonheur, le meilleur de leur liberté dans l'action au service des autres ; ceux-là deviennent entrepreneurs sociaux ou prennent en charge des services publics défaillants, suppléant la police, la voirie ou l'école. Ou bien s'engagent en politique pour accélérer le mouvement de l'Histoire, afin que d'autres qu'eux aient aussi accès à la liberté dont ils rêvent pour eux-mêmes.

Les exemples de ces « devenir-soi » sont nombreux. Sans doute vaut-il la peine d'en citer ici quelques-uns afin de montrer à chacun qu'il est possible d'en faire autant.

CHAPITRE 2

Ceux qui prennent en main
leur vie personnelle

Aujourd'hui comme hier, les premiers pionniers de cette Renaissance sont et seront encore ceux qui prennent en main leur vie personnelle. Dans leur sphère privée, ils échappent aux codes où ce statut les enferme. Ils choisissent leur sexualité, épousent qui ils veulent, décident de leur apparence physique, maîtrisent leurs addictions.

Voici quelques exemples récents, emblématiques de ces faibles signaux d'une renaissance du monde. Certaines de ces histoires peuvent paraître anecdotiques. Aucune ne l'est. Toutes incitent à réfléchir au chemin que chacun peut emprunter pour devenir soi-même.

Les premiers de ces exemples portent sur des gens qui, effrayés par leur propre dérive, décident de se reprendre en main en commençant par se respecter.

Lorsque, en juin 2013, les médecins le mettent en garde contre un début de diabète en raison de son poids de 172 kg pour 1,90 m, Daniel Brélaz, écologiste, maire de Lausanne depuis 2001, perd près de 70 kg en huit mois, cherchant à retrouver son « poids de jeune homme », soit 88 kg.

Il en va ainsi de Nancy Makin, habitant Grand Rapids, dans le Michigan, qui pèse 350 kg en 2000. Imputant son obésité à la solitude, elle retrouve le contact avec les autres par des conversations en ligne au cours desquelles nul ne peut se moquer de son apparence physique. Elle commence à manger moins et perd 225 kg en trois ans.

C'est aussi le cas de Laurence Cottet, cadre dans une grande entreprise française, devenue alcoolique à l'âge de 35 ans, qui, lors d'une réception avec les dirigeants de l'entreprise, s'effondre ivre morte. Menacée de licenciement, elle cesse complètement de boire et se met à écrire. Devenue abstinente, elle publie deux livres sur son expérience, tout en militant pour une Journée annuelle sans alcool.

Le romancier Stephen King, né en 1947, après un début de carrière difficile, rencontre le succès à la trentaine grâce à son roman *Carrie*. Étourdi par la célébrité, il sombre dans l'alcool et la drogue. À la fin des années 1980, sa femme menace de le quitter avec ses trois enfants. King décide alors de s'inscrire aux Alcooliques anonymes et met fin à ses dépendances.

Arrêté dix ans auparavant en possession de cocaïne et en état d'ivresse au volant, George W. Bush redécouvre en 1986 sa foi chrétienne, suspend toute consommation de drogue et d'alcool, se lance en politique et succède au successeur de son père comme quarante-troisième président des États-Unis.

D'autres, célèbres ou anonymes, font des choix bien plus courageux encore pour échapper aux destinées que leur famille ou leur cadre de vie prétendaient leur imposer. Ceux-là le font en général parce qu'ils y sont acculés par une situation exigeant une décision rapide.

Ainsi, par exemple, tous ceux qui, pour fuir un mariage arrangé ou une résidence imposée, décident de changer radicalement de vie et de s'arracher à la norme.

En Inde, des jeunes de plus en plus nombreux décident de transgresser les déterminismes culturels, économiques et sociaux et de choisir leur mode de vie. En particulier, les mariages entre personnes de castes différentes progressent, même s'ils restent encore rares : en 2012 – dernière statistique connue –, 9 623 unions ont été contractées entre des *dalit* (intouchables) et des personnes issues de castes plus élevées, soit un nombre en progression de 26,3 % sur une année.

Il en va de même des milliers de mariages indo-pakistanais, contractés malgré les relations conflictuelles entre les deux pays. Ce fut par exemple le cas en 2010 du mariage de la joueuse de tennis professionnelle indienne Sania Mirza et du joueur de cricket pakistanais Shoaib Malik.

Certains, quel que soit leur âge, décident d'assumer leur sexualité : les uns s'affirment homosexuels dès leur adolescence, les autres le font après avoir longtemps vécu en hétérosexuels.

Ainsi de Harvey Milk, né en 1930 à Long Island, qui découvre son homosexualité dès l'adolescence et la revendique d'emblée, ce qui le contraint à quitter la marine américaine où il pensait faire carrière. Élu conseiller municipal de San Francisco en 1978, il œuvre pour la reconnaissance des droits civiques des homosexuels, avant d'être assassiné la même année par un déséquilibré. Et de devenir un symbole de cette lutte.

Ainsi des quelques rares Chinoises et Chinois qui osent célébrer publiquement des unions de personnes de même sexe dans un pays où l'homosexualité était considérée comme une maladie mentale jusqu'en 2001, et où elle continue d'être rejetée par l'opinion publique. Tels l'architecte Zeng Anquan et le militaire Paul Wenjie, mariés à Chengdu en 2010.

D'autres se travestissent parce qu'ils se sentent mieux ainsi, ou pour les besoins d'une carrière. Ainsi, pendant la Grande Dépression, de deux musiciens américains, Billy Tipton, pianiste de jazz, saxophoniste, et Willmer Broadnax, chanteur de gospels, dont on ne découvrit qu'après leur mort (respectivement en 1989 et 1994) qu'ils étaient des femmes.

D'autres, enfin, font le choix extrême de modifier leur corps pour le mettre en adéquation avec le genre qu'ils vivent comme le leur. Ainsi de Marie-France Garcia, née garçon à Oran en 1946, qui change de sexe, s'affirme comme une femme et non comme un transsexuel, fait carrière au cabaret de l'Alcazar, à Paris, comme sosie de Marilyn Monroe, tourne avec André Téchiné, chante avec les Rita Mitsouko, et s'engage au Front homosexuel d'action révolutionnaire pour la reconnaissance des droits des homosexuels, alors que le sujet est encore tabou dans les années 1970.

Ainsi de Larry Wachowski, l'un des deux frères réalisateurs de la trilogie *Matrix*, qui change de sexe en 2012 et l'annonce sous le nom de Lana dans une vidéo où elle présente leur nouveau film, *Cloud Atlas*, aux côtés de son frère.

Ainsi de Jin Xing (« Vénus » en chinois), né en 1968 de parents coréens, entré dans l'Armée populaire de libération chinoise à neuf ans. Il atteint le rang de colonel, puis se rend aux États-Unis pour poursuivre des études de danse moderne. À vingt-neuf ans, il entreprend une « réassignation sexuelle ». Aujourd'hui, elle vit avec ses trois enfants adoptés et son mari allemand à Shanghai.

Ainsi de tant d'autres, si nombreux, enfermés dans un corps qui ne leur semble pas le leur et qui osent devenir ce qu'ils sont : en France, cent personnes – quasi exclusivement des hommes – changent de sexe chaque année.

À l'instar de tant d'autres anonymes qui trouvent le courage de changer de vie pour se trouver, sans rien attendre de personne...

CHAPITRE 3

Les artistes

Certains choisissent encore plus pleinement leur vie en devenant des artistes.

Depuis toujours, l'artiste est à l'avant-garde du « devenir-soi » ; il se choisit un destin que nul ne pouvait choisir pour lui. Plus qu'aucun autre il échappe à la routine, ose devenir lui-même. Il serait d'ailleurs fascinant de raconter la naissance de la vocation des grands créateurs. Malheureusement, on ne saura jamais rien de celle des peintres de Lascaux, du sculpteur des si mystérieuses têtes olmèques, de l'auteur du livre de Job, d'Homère (s'il a existé) ou du créateur du sublime buste de Jayavarman VII.

Pour ceux des artistes dont on connaît la biographie, il arrive que certains s'inscrivent dans un destin hérité de leurs parents, tout en s'en émancipant pour créer des œuvres originales.

Ainsi d'Antonio Vivaldi, qui apprend la musique de son père, violoniste et compositeur, issu du milieu des petits artisans, boutiquiers et ouvriers vénitiens.

Décidé à se consacrer à la musique, devenue selon ses propres mots une « nécessité absolue », il entre dans les ordres pour assurer son avenir et obtient un poste de maître de violon à la Pietà.

Ainsi de Blaise Pascal que son éducation, entièrement dispensée par son père, pousse vers la contemplation et la réflexion nourries par des dons intellectuels inégalés, et qui refuse sans relâche les métiers qui s'offraient à lui.

Ainsi, tout autrement, de sa sœur Jacqueline qui, admirée de Pierre Corneille et, alors qu'elle a tous les talents pour devenir un grand écrivain de théâtre, décide, au grand dam de son frère, de se faire religieuse.

Ainsi de Wolfgang Amadeus Mozart qui n'eut jamais à décider de devenir musicien : son père, vice-maître de chapelle à la cour du prince-archevêque de Salzbourg, est son premier maître ; ayant tout de suite repéré les dons de son fils, il le donne en spectacle à toutes les cours d'Europe, ce qui permet à l'enfant prodige – qui accepte d'être traité comme tel – de recevoir l'enseignement des meilleurs, qu'il transcenda par son génie.

Ainsi de Gioacchino Antonio Rossini dont le père, commerçant, est devenu musicien d'orchestre par nécessité, et la mère cantatrice d'occasion. À douze ans à peine, obligé de gagner sa vie et de venir en aide à sa famille, il se lance dans la musique, étudie avec passion ses quasi contemporains Haydn et Mozart. Compositeur au succès fulgurant – à dix-huit ans, son premier opéra-bouffe, *La Cambiale di matrimonio*, est joué au Teatro San Moisè de Venise –, il parcourt l'Europe et imprime son style au genre de l'opéra avant d'abandonner le métier de musicien à trente-sept ans, pour s'adonner à une vie de plaisirs.

Ainsi de Karl Marx qui, implicitement poussé par son père, décide de devenir philosophe et non pas avocat, sans que nul n'ait discerné alors toute l'ambition qu'il s'assigne. Et qui y consacre toute sa vie, renonçant à tout travail rémunéré au point de condamner un de ses enfants à mourir de faim.

Ainsi de Pablo Picasso, fils d'un professeur de peinture, admis à quinze ans à l'Académie royale de San Fernando, à Madrid, dont il se détourne rapidement pour proposer en 1907, à l'âge de vingt-six ans, sa propre vision du monde avec *Les Demoiselles d'Avignon* : « Il faut transpercer ce que les gens voient : la réalité… Mettre les yeux dans les jambes. Contredire… »

Ainsi d'Israël Isidore Beilin, juif russe immigré aux États-Unis sous le nom d'Irving Berlin. Il a d'abord survécu de petits boulots après la mort de son père, chantre dans une synagogue en Russie. Pour subvenir aux besoins des siens, il se produit dans des bars et a tôt fait de saisir le type de musique le plus apprécié, puis se met à composer. À vingt-trois ans, il écrit un air qui le fait accéder instantanément à la célébrité : *Alexander's Ragtime Band*, interprété depuis par les plus grands noms de la musique.

Ainsi de Sophie Cecilia Kalos, dite la Callas, née en Grèce en 1923. À peine immigrée aux États-Unis, entre d'innombrables déménagements (huit en l'espace de neuf ans) et changements d'école (cinq fois), Maria découvre la musique quand sa mère fait l'acquisition d'un phonographe ; elle expliquera plus tard que chanter est « progressivement devenu le remède à son complexe d'infériorité ». Sa mère l'incite dès lors à tout miser sur une carrière de cantatrice, allant jusqu'à l'empêcher d'entretenir des relations sentimentales ou amicales.

Ainsi de Takashi Murakami, né en 1962 au sein d'une famille japonaise cultivée qui le pousse à choisir un métier artistique ; il étudie le *nihonga*, peinture japonaise du XIXe siècle recourant aux techniques européennes. Il cherche ensuite sa propre voie et contribue à ramener la culture populaire dans l'art en incorporant la mode *kawai* à son propre travail.

D'autres artistes, beaucoup plus nombreux, se sont au contraire arrachés à leur univers familial ou à leur milieu social pour prendre le pouvoir sur leur vie, quitte, pour certains, à la sacrifier à leur œuvre.

Ainsi d'Hildegarde de Bingen, de Caravage, de Giordano Bruno, qui surent tous trois échapper au destin tout tracé que leur imposait leur milieu d'origine. L'une, dixième enfant d'une famille noble du Palatinat, devenue chanoinesse, échappe à sa routine, conseille le pape et l'empereur, et devient une musicienne inspirée. Le deuxième, fils d'un maçon, devient l'un des plus grands peintres de tous les temps en prenant pour modèles des gens du peuple, des voleurs et des criminels ; poursuivi lui-même pour assassinat, il aurait été victime d'un meurtre sur une plage italienne. Le troisième, devenu prêtre sans vocation, écrivain hors pair, inspirateur de Shakespeare, est brûlé vif sur ordre du pape, à Rome, le 17 février 1600, pour avoir osé affirmer que le Soleil fait partie d'une des multiples galaxies de l'Univers.

Ainsi de Denis Diderot que son père destinait à la prêtrise et qui, de refus en rébellion, devient un grand écrivain athée, le pire ennemi même de l'Église, refusant toute compromission, se résignant à ne pas publier en France par peur de la prison où il fait un court séjour.

Ainsi de Friedrich Hölderlin, né en 1770 dans une famille bourgeoise, traumatisé par la mort de son père, de son beau-père et de nombre de ses frères et sœurs ; destiné par sa mère au pastorat, il refuse et devient précepteur du fils d'un riche banquier de Francfort, Jacques Gontard ; il s'éprend de l'épouse de celui-ci, Suzette, qui lui inspire une vocation littéraire et ses plus beaux écrits, tel le roman *Hypérion*. En 1798, quand cet amour est découvert par le mari, Hölderlin quitte Francfort et entame une longue errance jusqu'à son retour à pied en Allemagne, en 1802, où il apprend le décès de Suzette. Consumé par le chagrin, il bascule dans la folie et, interné en 1806 dans un asile de Tübingen, il y succombe en 1843.

Ainsi de Joseph-Ferdinand Cheval, né en 1836 dans la Drôme. Travaillant dès l'âge de treize ans comme boulanger, puis ouvrier agricole, puis facteur, étranger au monde de l'art, il consacre trente-trois ans de sa vie à la construction de ce qu'il appela son « Palais idéal », inspiré du décès de ses épouses et enfants ainsi que de ses rêves exotiques. Il devient le prototype de l'« art brut » tel que défini plus tard par Jean Dubuffet : « L'art ne vient pas se coucher dans les lits qu'on a faits pour lui ; il se sauve aussitôt qu'on prononce son nom. Ce qu'il aime, c'est l'incognito, ses meilleurs moments sont quand il oublie comment il s'appelle. »

Ainsi de Vincent Van Gogh, issu en 1853 d'une famille de commerçants néerlandais ; il découvre la peinture en travaillant à seize ans dans la galerie d'art d'un de ses oncles, à La Haye. Révulsé de voir l'art traité comme une marchandise, il quitte les Pays-Bas, enseigne quelque temps le dessin à Londres, envisage de devenir pasteur, y renonce et se brouille avec ses parents. Ce n'est que vers ses trente ans qu'il commence à peindre, seulement soutenu par son frère Théo, jusqu'à sombrer dans la folie.

Ainsi d'Arthur Rimbaud à qui son enfance à Charleville, chez une mère revêche et rigoriste, séparée de son père, militaire de carrière, permet de découvrir par hasard la poésie dans des exercices scolaires et des recueils prêtés ou volés. À seize ans, après d'innombrables fugues en France et en Belgique, il tente de devenir journaliste à Charleroi. À dix-sept, il rencontre à Paris les plus grands poètes français de son temps, comme Paul Verlaine, Théodore de Banville, Stéphane Mallarmé ou François Coppée ; il devient l'un d'eux et écrit, entre autres, *Le Bateau ivre*. À vingt ans, il abandonne définitivement la poésie. Trois ans plus tard, il s'engage dans l'armée coloniale néerlandaise, déserte rapidement, part travailler dans une scierie en Suède. À trente et un ans, il devient trafiquant d'armes en Éthiopie et meurt à trente-sept à Marseille des suites d'une amputation de la jambe droite.

Ainsi de Henri Matisse qui ne découvre la peinture qu'à l'âge de vingt ans quand, à l'occasion d'une crise d'appendicite, en 1889, sa mère, peintre amateur, lui offre une boîte de couleurs. Un an plus tard, en dépit de l'opposition de son père, commerçant en grains, il délaisse ses études de droit et intègre l'École des Beaux-Arts, à Paris. Cette année-là, il peint son premier tableau, *Nature morte avec des livres*, puis, à vingt-sept ans, expose au Salon des Cent.

Ainsi de Camille Claudel, née en 1864 dans une famille bourgeoise de l'Aisne. Adolescente, elle rencontre le sculpteur Alfred Boucher qui décèle ses aptitudes. Au grand dam de sa mère elle se lance dans la sculpture, vient s'installer à Paris, rencontre Auguste Rodin en 1882 et devient son assistante, sa muse et une de ses maîtresses. Déçue de n'être considérée que comme l'élève de celui-ci qui ne la met jamais en valeur, rejetée par l'opinion publique à cause de ses représentations de femmes nues, elle sombre dans la paranoïa. Internée en 1913 à l'asile psychiatrique de Ville-Évrard, elle meurt trente ans plus tard à l'asile de Montfavet sans aucun soutien de son frère Paul, diplomate et écrivain, malgré ses appels au secours.

Ainsi de Frida Kahlo, née en 1907 dans une famille mexicaine aisée, surnommée « Frida jambe-de-bois » après une poliomyélite qui lui atrophie la jambe droite. Élève remarquable, décidée à devenir médecin, un grave accident de la circulation la contraint, à dix-huit ans, à rester alitée durant deux ans. Là, elle commence à peindre notamment des autoportraits.

Ainsi de Charles Bukowski, né en 1920, qui a passé son enfance dans les quartiers pauvres de Los Angeles, battu sans relâche par son père. À l'âge de dix ans, à la faveur d'une rédaction qu'il lui faut lire et présenter devant toute sa classe, il acquiert la certitude qu'il deviendra écrivain. Après un ultime affrontement avec son père à seize ans, il fugue, travaille comme facteur, puis magasinier, tout en écrivant ; il n'accède à une plus large célébrité qu'à cinquante ans, d'abord aux États-Unis, puis en Europe, grâce à son *Journal d'un vieux dégueulasse*.

Ainsi de Janet Frame, née en 1924 au sein d'une famille ouvrière de cinq enfants ; elle se passionne très tôt pour la littérature, alors que sa famille la pousse à devenir institutrice ; affectée par la mort de deux de ses sœurs, elle fait une tentative de suicide à vingt et un ans et elle est diagnostiquée schizophrène et internée dans un hôpital psychiatrique. Pendant huit ans, elle subit plus de deux cents électrochocs tout en commençant à écrire. À vingt-sept ans, alors qu'est programmée sa lobotomie, elle est sauvée par le prix littéraire reçu pour la publication de son premier ouvrage. Libérée, elle publie treize romans, des nouvelles, des poèmes et une autobiographie.

Ainsi de Yukio Mishima, né à Tokyo en 1925. Élevé par sa grand-mère, aristocrate lettrée, il commence à écrire vers l'âge de quinze ans malgré l'interdiction de son père qui y voit une manifestation de penchants homosexuels et le force à entrer au ministère des Finances. À vingt-trois ans, contre l'avis paternel, il renonce à cet emploi pour se consacrer pleinement à l'écriture. Il accède à la célébrité à l'âge de vingt-quatre ans avec la *Confession d'un masque*, roman autobiographique traitant de l'homosexualité. Le 25 novembre 1970, il se donne la mort par *seppuku* – variante du *harakiri* – au ministère de la Défense nationale où il a pris en otage le plus haut gradé de l'armée nippone.

Ainsi de Kurt Cobain, enfermé dans un environnement familial chaotique et les pesanteurs socioculturelles de la ville d'Aberdeen où il grandit, il découvre d'abord le heavy metal, puis le punk rock, en faisant notamment connaissance des Melvins. Sa mère le chasse de la maison familiale lorsqu'il décide d'arrêter ses études avant même la fin du lycée. Il vit alors de petits boulots au sein de la communauté punk, jusqu'à devenir musicien. Après l'échec de ses premières formations, entre 1985 et 1989, il rassemble ceux qui finiront par former le groupe Nirvana avec lequel il sort en 1989 l'album *Bleach*, début d'une carrière fulgurante. Il se suicide le 5 avril 1994.

D'autres encore ne reçoivent ni encouragements ni oppositions au sein de leur environnement. Ils sont juste portés par leur art, convaincus, malgré tous les obstacles, d'avoir trouvé leur voie.

Ainsi de Ray Charles, né en 1930, élevé dans une extrême pauvreté à Greenville, en Floride, qui racontera qu'il est venu au monde « avec la musique à l'intérieur de lui ». À l'âge de trois ans, alors qu'il entend égrener des notes en provenance d'un café, il se rue dans celui-ci et grimpe sur les genoux du pianiste pour tenter de pianoter avec lui. Il perd la vue à sept ans ; sa mère l'envoie dans une école pour sourds et aveugles où il s'initie à la clarinette, à la composition, au piano, au saxophone. Orphelin de père et de mère à quinze ans, il survit en jouant et en chantant dans des clubs. Il obtient son premier succès à dix-neuf ans avec *Confession Blues* et devient « The Genius », maître incontesté du rhythm and blues.

Ainsi de John Lennon. Issu, comme les autres Beatles, de la classe ouvrière anglaise, élevé par sa tante, mauvais élève et bagarreur, il échoue à l'équivalent du brevet des collèges. Avec le soutien d'un de ses professeurs, il est orienté vers les Beaux-Arts où il végète sans vocation particulière, jusqu'à ce qu'un jour de 1956, à seize ans, il entende Elvis Presley. Il l'imite, s'initie à la guitare et ne vit plus, soutenu par sa mère, que pour le rock'n'roll, tout le reste étant pour lui « irréel ».

Ainsi de Jean-Michel Basquiat, né en 1960 à Brooklyn, d'origine haïtienne (par son père, devenu comptable aux États-Unis) et portoricaine (par sa mère), attiré dès son plus jeune âge par le dessin et marqué par des visites régulières au Brooklyn Museum et au Museum of Modern Art à New York. À dix-sept ans, il décore des murs entiers de Manhattan de graffitis sous le pseudonyme de « Samo ». Jusqu'à sa mort à vingt-sept ans, menant de front peinture, écriture et collage, comme dans *Mona Lisa* (1983), il recherche une célébrité qui culminera pour lui à titre posthume.

Ainsi de Damien Hirst que rien ne prédestinait à devenir l'un des plus célèbres artistes contemporains. Fils d'un mécanicien et d'une employée de bureau, élevé à Leeds, mauvais élève, il ne se montre intéressé que par le dessin. Refusé au Leeds College of Art, il travaille deux ans sur un chantier de construction à Londres, puis étudie au Goldsmiths College of Art. Repéré à la fin des années 1980 par le collectionneur Charles Saatchi, il accède à la notoriété et fait aujourd'hui partie des principaux leaders du mouvement *Young British Artists*.

Ainsi de Jeff Koons, issu d'une famille de la classe moyenne – père décorateur d'intérieur, mère couturière – qui suit sans vocation particulière des études d'art dans le Maryland et à Chicago, puis devient l'assistant de l'artiste pop art Ed Paschke, à New York, et a travaillé au MoMA. En 1979, il décide de s'employer à Wall Street comme trader de matières premières pour investir dans la réalisation de ses œuvres. Financièrement indépendant en 1984, il se consacre à plein temps à son art et, misant constamment sur le kitsch, se voit dédier une première exposition à la galerie International With Monument.

Ainsi d'Ai Weiwei, artiste majeur de la scène indépendante chinoise qui vécut jusqu'à ses dix-neuf ans, en 1976, dans plusieurs centres de rééducation par le travail dont un au Xinjiang avec ses parents, son père, poète, ayant été dénoncé en 1958. En 1978, il devient étudiant à l'Université de cinéma de Pékin. Il participe la même année au « Mur de la démocratie », mais la condamnation du dissident Wei Jingsheng l'éloigne de l'activisme politique. Il a alors l'occasion de gagner les États-Unis où il étudie à la Parsons School for Design et s'imprègne des travaux de Jasper Johns, Warhol et Duchamp.

Enfin, bien des artistes ne découvrent leur vocation qu'avec l'aide d'autrui. Certains cas illustrent particulièrement ce rôle des autres dans le « devenir-soi » :

Ainsi de Paul Gauguin qui, ayant passé une partie de son enfance en Amérique du Sud, s'engage à dix-sept ans dans la marine marchande, puis devient agent de change ; à vingt-six ans, en 1874, il découvre la peinture au contact d'un ami de sa famille, l'homme d'affaires Gustave Arosa, qui l'introduit auprès des impressionnistes, notamment de Camille Pissaro. Bouleversé par cette rencontre, il se met à peindre pour lui-même, n'osant encore se considérer comme un artiste. Ce n'est qu'après le krach de 1882 qu'il décide de « peindre tous les jours ». Ruiné huit mois plus tard, il part vivre dans la famille de sa femme au Danemark. Là, il ose ne faire que peindre, mais, incompris, il doit choisir ; il renonce à sa famille, revient seul à Paris et entame un long cheminement qui le mènera jusqu'à Tahiti et aux îles Marquises.

Ainsi de Helen Keller, née en 1880 au sein d'une famille de la haute bourgeoisie de l'Alabama. À dix-neuf mois, une maladie la laisse sourde, aveugle et muette. En 1886, sa mère, inspirée par l'histoire de Laura Bridgman relatée dans *American Notes* de Charles Dickens, et sur le conseil d'Alexander Graham Bell, un des inventeurs du téléphone, fait appel à Anne Sullivan, du Perkins Institute for the Blind, elle-même déficiente visuelle. D'une très vive intelligence, Helen Keller est la première sourde et aveugle à obtenir un Bachelor of Arts en 1904. Mark Twain est le premier à repérer son talent littéraire. Publiant au total douze livres, elle est très engagée dans la lutte des suffragettes pour le droit de vote des femmes.

Ainsi de Judith Scott qui doit tout à sa sœur jumelle, Joyce. À leur naissance dans l'Ohio en 1943, Judith est atteinte de trisomie 21, sourde et muette, ce qui laisse croire à son entourage à un sévère retard mental. Ses parents l'envoient en 1950 dans une institution spécialisée. Seize ans plus tard, sa sœur Joyce entreprend des démarches administratives pour devenir sa tutrice légale, elle l'emmène vivre en Californie et l'inscrit au Creative Growth Art Center d'Oakland. Judith y découvre les créations artistiques fondées sur le travail des fibres à l'occasion de la visite de l'artiste Sylvia Seventy. Son don particulier est rapidement reconnu par l'Institut, et liberté lui est accordée de choisir de créer avec autant de matériaux qu'elle le désire, avant qu'elle devienne une artiste reconnue.

Ainsi de Maurizio Cattelan, né en 1960 dans les quartiers populaires de Padoue, qui, sans aucune formation artistique, travaille d'abord à fabriquer des meubles en bois qu'il essaie de vendre au grand designer italien Ettore Sottsass. Celui-ci l'oriente et soutient ses multiples provocations : Cattelan crée ainsi à New York la Wrong Gallery, minuscule espace d'exposition... fermé en permanence !

Ainsi de Yaron Herman, jeune basketteur israélien à la carrière brisée par une blessure qui découvre le piano à dix-sept ans, par un professeur d'exception, Opher Brayer, qui lui apprend à improviser à partir de plusieurs autres disciplines, devenu à partir de vingt-quatre ans un des plus grands pianistes de jazz du monde.

Ainsi de Renaud Capuçon, né dans un milieu de fonctionnaires savoyards sans environnement musical, orienté depuis l'âge de quatre ans par des professeurs, des directeurs de festival, des chefs d'orchestre et devenu à l'âge de trente-cinq ans un des plus grands violonistes du monde, bientôt suivi par son jeune frère, devenu violoncelliste.

Ces multiples exemples ne constituent qu'un très faible échantillon des artistes qui se sont illustrés et animent aujourd'hui la planète entière. Ils sont musiciens, peintres, sculpteurs, plasticiens, comédiens, entre maints autres domaines. Leur nombre, leur diversité, leur inventivité, leur audace sur tous les continents délivrent la meilleure preuve de l'imminence possible d'une nouvelle Renaissance, de la possibilité d'un « devenir-soi ».

CHAPITRE 4

Les entrepreneurs privés

D'autres ont pris le parti de se dégager de la vie prévue pour eux non pas en devenant artistes, mais en se lançant dans à une autre forme de création : celle d'une entreprise.

Les mécanismes qui conduisent un homme ou une femme à vouloir, sans en être l'héritier, créer son entreprise plutôt que d'être simple employé, sont tout aussi mystérieux que ceux qui conduisent à devenir un artiste : un hasard, souvent ; une nécessité, le plus souvent ; une énergie particulière, toujours. Rarement le choix d'un domaine particulier. En général, juste le besoin d'être son propre maître ; le désir de faire fortune, aussi.

Sans revenir aux marchands de Bruges du XIVe siècle ou aux armateurs vénitiens du XVe, voici quelques exemples qui démontrent que la création d'entreprise est à la portée de qui le veut et le décide.

Ainsi de Thomas Edison, né dans une très modeste famille immigrée en 1847, dans l'Ohio, atteint d'une surdité quasi totale à l'âge de treize ans, qui débute en tant qu'employé dans les trains du Michigan. Rien ne le prédispose à la création d'entreprise. Pourtant, résolu à prendre le pouvoir sur sa vie, il n'accepte aucun métier qu'on lui propose. Passionné par les sciences physiques et la chimie, auxquelles il s'initie seul pour une large part, il met au point, à vingt-deux ans, un télégraphe automatique utile aux trains, puis, infatigable créateur, la première ampoule électrique à incandescence. Il fonde à vingt-neuf ans l'Edison Illuminating Company qui deviendra General Electric. Il ne cesse plus d'innover tout en développant sa firme : il invente le phonographe à trente ans et dépose en tout près de onze cents brevets, attirant auprès de lui nombre de jeunes ingénieurs, les incitant à créer à leur tour leurs propres entreprises.

Ainsi de Henry Ford, né en 1863 dans une famille de fermiers d'origine irlandaise dans la région de Detroit. Il travaille d'abord à seize ans dans un atelier d'usinage du fer, puis dans un atelier de réparation d'horloges et de montres. Il devient ingénieur mécanicien à la Edison Illuminating Company où il conçoit, durant son temps libre, un véhicule automobile doté d'un moteur à essence. Il présente sa réalisation à Thomas Edison qui n'y croit guère mais le pousse à le quitter pour créer son entreprise. Sa première firme automobile fait faillite deux années après sa création ; après un second échec, il lance en 1903 la Ford Motor Company, commercialise en 1908 la Ford T qui se vendra à 15 millions d'exemplaires entre 1908 et 1927.

Ainsi de Siegmund Warburg, issu d'une grande famille de banquiers juifs allemands, conseillers des princes depuis le XVIIᵉ siècle, ruinée durant les années 1920, et qui, à l'avènement du nazisme, émigre à Londres où, sans autre capital que son nom, fonde une modeste firme financière et met au point de nouveaux modes de financement de l'achat d'armes américaines par les Anglais. À la fin de la guerre, il crée la banque S.G. Warburg and Co qui devient en moins d'une vingtaine d'années la première banque d'affaires de la City ; il est le premier dans le domaine des Offres Publiques d'Achat (OPA) et crée le marché des eurodollars.

Ainsi de George Soros, né György Schwartz en 1930 à Budapest ; il se réfugie à Londres en 1947 où il entreprend des études de philosophie. Devenu l'assistant du célèbre épistémologue Karl Popper, il travaille en parallèle comme serveur, maître-nageur, porteur de bagages, vendeur de cadeaux-souvenirs. Son rêve étant de gagner suffisamment d'argent pour écrire librement, il envoie une lettre à toutes les banques d'affaires de la City et trouve en 1952 un emploi chez Singer & Friedlander, tout en poursuivant ses études ; titulaire d'un doctorat en philosophie en 1954, il part pour Wall Street en 1956. Il devient l'un des investisseurs les plus renommés au monde avec les fonds Soros puis Quantum (28,6 milliards de dollars sous gestion). Grand mécène, observateur lucide du capitalisme, il continue à se penser plus en homme d'idées qu'en homme d'argent.

Ainsi de Steve Jobs, confié par sa mère très pauvre à un couple dans l'espoir qu'il puisse faire des études. Dès son adolescence, il bricole des circuits électroniques dans le garage de ses parents adoptifs avec son ami Steve Wozniak. À l'âge de dix-sept ans, ses parents s'endettent lourdement pour financer son entrée au Reed College, dans l'Oregon. Il s'y ennuie et abandonne ses études sans pour autant quitter le College où il assiste en auditeur libre à des cours de calligraphie. Après deux années comme programmeur chez Atari, il participe aux rencontres du *Hombrew Computer Club* de la Silicon Valley, y décèle le potentiel commercial des ordinateurs personnels et fonde Apple en 1976 avec son ami Wozniak.

Ainsi d'Indra Nooyi, née en 1955 à Chennai, en Inde, dans une famille de la classe moyenne. Après de brillantes études scientifiques dans sa ville natale, puis une spécialisation en commerce à Calcutta et à l'université de Yale, aux États-Unis, elle rejoint le Boston Consulting Group en 1980. Quatorze années plus tard, elle, qui reconnaît qu'« être une femme immigrée de couleur lui a rendu les choses trois fois plus difficiles », devient directrice stratégique de PepsiCo, une des plus grandes firmes mondiales de l'agroalimentaire. Elle en est nommée P.-D.G. en 2006 et apparaît depuis 2008 au 4ᵉ rang du classement *Forbes* des femmes les plus puissantes du monde.

Ainsi de Marc Simoncini, né en 1963 dans une cité HLM de Marseille. En 1984, alors qu'il est étudiant en informatique, un stage dans une modeste entreprise qui crée des applications pour Minitel lui révèle sa passion pour l'entrepreneuriat. Il interrompt ses études pour fonder en 1985 sa première firme spécialisée dans les services au Minitel, puis avec iFrance, portail Internet hébergeant gratuitement des pages web personnelles, qu'il a revendu à Vivendi en 2000, ce qui lui a permis de financer le lancement de Meetic : l'idée lui en est venue au cours d'un dîner où des amis célibataires avaient exposé leurs difficultés à faire des rencontres.

Ainsi de ceux qui créent des entreprises de bricolage, pour satisfaire le marché de la « débrouillardise ».

Ainsi de 80 % des Français adeptes du bricolage qui préfèrent effectuer eux-mêmes de menus travaux là où ils résident. Les foyers français ont dépensé en 2013 en moyenne 940 euros pour des articles de bricolage. Aux États-Unis en 2013, ce sont 70 % des rénovations de maisons particulières qui ont été effectuées par les propriétaires, souvent avec l'aide d'amis et de leur famille. Le bricolage est aujourd'hui rendu plus accessible grâce à la multiplication des aides disponibles sur Internet (schémas de montage, vidéos, blogs). Ainsi de la décoratrice d'intérieur Brooke Ulrich, habitant l'Utah, fondatrice d'All Things Thrifty. Elle est présente sur les réseaux sociaux et ses photographies, par exemple la série « comment utiliser la peinture en spray », ont été recommandées par des dizaines de milliers d'utilisateurs de Pinterest.

Ainsi de plusieurs centaines de milliers de Britanniques qui fabriquent chaque année leur propre bière pour leur plaisir personnel. En 2012, le fabricant Muntons a vendu au Royaume-Uni près de 500 000 exemplaires de ses kits à brasser la bière, soit deux fois plus qu'en 2007.

Ainsi de la culture des « makers », née il y a quelques années aux États-Unis, qui invite à réaliser des objets par soi-même, que ce soit de la robotique, de l'électronique, de la menuiserie ou de l'artisanat en général. Les « makers » échangent grâce à des blogs (Boing Boing), des revues (*Make*), se réunissent régulièrement au sein d'associations telles qu'Artisan's Asylum, aux États-Unis, et les Fabriques du Ponant, en France, ou de grands événements comme le festival Maker Faire, pour apprendre, concevoir ensemble et partager.

Ainsi de Maker Faire, réunion itinérante fondée en 2006 qui rassemble des artisans, des ingénieurs, des inventeurs et des passionnés de bricolage, afin de présenter des inventions et des techniques de fabrication.

Ainsi des Fabriques du Ponant qui ont lancé en 2012 le Open Bidouille Camp à Saint-Ouen, manifestation annuelle qui prône le « Do it Yourself ». Plusieurs milliers de personnes s'aident à réparer des vélos, construire des capteurs de consommation énergétique, fabriquer des bombes végétales pour végétaliser les espaces urbains abandonnés, ou encore faire du pain.

Ainsi de Mo Ibrahim, né très pauvre dans le nord du Soudan en 1946. Grâce à une bourse, Mo étudie l'électrotechnique en Égypte, puis en Grande-Bretagne. Diplômé en télécommunications mobiles de l'Université de Birmingham, il est recruté par British Telecom où il passe huit années. En 1989, il décide de « prendre [son] destin en main » et fonde un cabinet de conseil en logiciels, Mobile Systems International (MSI, qui connaît un grand succès en Europe et en Amérique du Nord) ; il crée un opérateur de télécommunications reliant quinze pays africains.

Ainsi d'Arianna Huffington, née à Athènes en 1950 dans un milieu modeste. Diplômée de l'Université de Cambridge, elle publie en 1973 un livre qui dénonce les thèses des principaux mouvements féministes de l'époque. Dans les années 1990, elle rejoint la scène politique américaine en soutenant son époux, Michael Huffington, homme politique conservateur, puis appelle à la démission de Bill Clinton suite à l'affaire Monica Lewinsky en créant en 1998 le site Resignation.com. Cinq années plus tard, elle est candidate indépendante à l'élection du gouverneur de Californie face à Arnold Schwarzenegger. En 2005, elle cofonde *The Detroit Project* pour inciter les constructeurs automobiles américains à maximiser l'efficacité des moteurs et la réduction de leur consommation de carburant. Arianna lance la même année le site d'information *The Huffington Post*, de tendance progressiste, aujourd'hui l'un des journaux en ligne les plus populaires aux États-Unis.

Ainsi d'Oprah Winfrey, née en 1945 dans le Mississippi ; élevée seule par sa mère, femme de ménage, violée par plusieurs membres de sa famille vers l'âge de neuf ans, enceinte à l'âge de quatorze – son enfant meurt à la naissance –, brillante élève, elle se distingue par son éloquence et ses qualités d'actrice. À quinze ans, elle est repérée par une radio de Nashville où elle effectue des stages d'été. Elle devient à l'âge de dix-sept ans l'une des premières femmes noires à présenter les informations à la télévision américaine. Entre 1986 et 2011, elle produit et anime « The Oprah Winfrey Show », l'une des émissions les plus populaires aux États-Unis, puis crée sa propre chaîne de télévision.

Ainsi de Kiran Mazumdar-Shaw, née en 1953 à Bangalore. Son père, brasseur, la pousse à emprunter la même voie que lui et l'envoie étudier la biologie et le brassage de la bière à Bangalore puis Melbourne ; comme personne n'accepte d'employer un maître-brasseur femme en Inde, après quelques années passées dans un cabinet de conseil elle crée en 1978 la firme Biocon dans son garage, à l'aide d'une centaine de dollars, pour produire des enzymes et les vendre à des brasseurs. Aujourd'hui, Biocon est la première entreprise de biotechnologies en Inde et emploie plus de cinq mille personnes.

Ainsi de Zhang Xin, née en 1965 en Chine de parents originaires du Myanmar ; élevée seule par sa mère à Pékin et Hong Kong dans des conditions difficiles, elle travaille à la chaîne afin de financer des études à l'étranger. Diplômée en économie de l'Université de Cambridge en 1992, elle s'emploie en banque d'investissement à Hong Kong, puis à New York chez Goldman Sachs. À quarante ans, elle fonde Soho China, devenu le premier promoteur immobilier de Chine. En 2014, le magazine *Forbes* la classe 62ᵉ parmi les femmes les plus influentes au monde.

Ainsi de Sara Blakely, née en 1971 en Floride. Élevée dans une famille de la classe moyenne, destinée par ses parents au métier d'avocat, elle échoue à l'université, vit d'expédients, travaille au parc d'attractions Walt Disney d'Orlando, puis vend des télécopieurs au porte-à-porte. Elle invente de nouveaux sous-vêtements, dépose un brevet et fonde à vingt-neuf ans la société Spanx en 2000. Elle devient en 2012 la plus jeune femme milliardaire au monde.

Ainsi de la génération de femmes africaines qui investissent progressivement de nombreux secteurs économiques naguère réservés exclusivement aux hommes.

Ainsi d'Alizéta Ouédraogo, aujourd'hui femme la plus prospère de son pays, le Burkina Faso. Après avoir fait fortune dans le cuir au cours des années 1990, elle s'est lancée dans l'immobilier et les travaux publics. Elle a pris la tête de la Chambre de Commerce et d'Industrie de son pays en 2011.

Ainsi de Bethlehem Tilahun Alemu (Éthiopie), reconnue comme une des femmes les plus influentes d'Afrique par *The Guardian* en 2013, fondatrice en 2004 de soleRebels, entreprise fabriquant des chaussures dont la semelle est faite à partir de pneus usagés. Ayant commencé dans un humble atelier à

Addis-Abeba, la société emploie désormais plus d'une centaine de personnes et distribue ses produits dans une trentaine de pays.

Ainsi d'Antoinette Koudjal Mangaral (Tchad) qui crée son entreprise, les établissements KAMA, en 1995, spécialisée dans la récolte de la noix de karité et dans sa transformation en beurre. Sachant que la réussite de son entreprise dépend également de celle du secteur dans l'ensemble du Tchad, elle participe activement aux réseaux associatifs agricoles et de promotion des femmes commerçantes et artisanes.

Ainsi également de centaines de milliers d'anonymes partout à travers le monde, qui décident de ne rien attendre de personne, de ne pas chercher de poste stable dans l'administration, ni dans l'armée, ni même dans telle ou telle entreprise, mais de créer le leur. Preuve que le libre choix d'une vie n'est pas l'apanage des riches, ni des pauvres des pays riches. C'est très souvent le cas de femmes qui ont déjà à gérer une famille, première entreprise.

En voici quelques cas exemplaires parmi environ 200 millions d'autres financés par des institutions de microfinance, sans compter les 400 millions d'autres qui n'ont aucun financement.

Ainsi de Paully Appiah Kubi qui a eu l'idée de créer son entreprise en constatant les grandes pertes occasionnées par l'absence de capacités de stockage et de transformation des fruits et légumes au Ghana. Elle crée Ebenut Ghana en 1996 à partir d'un seul séchoir traitant vingt fruits ou légumes à la fois. Elle emploie aujourd'hui cinquante personnes et traite et exporte trois tonnes de produits séchés par mois.

Ainsi de Brigitte Nana Njike au Cameroun, qui, afin de financer les études de ses quatre enfants, décide d'emprunter pour acquérir du matériel sérigraphique en vue de personnaliser les vêtements traditionnels camerounais, et fait aujourd'hui travailler plusieurs jeunes de son village.

Ainsi de Koné Sita qui débute dans le commerce de vêtements en Côte d'Ivoire, à Abidjan, il y a une vingtaine d'années, avec 12 000 francs CFA (un peu moins de 20 euros), sans formation scolaire. Elle est aujourd'hui propriétaire d'un marché de mille places et fondatrice de la Coopérative des Femmes de Roxy et Extension (COFCER) qui encourage les femmes d'Adjamé à mettre un terme à leurs activités illégales (comme la vente de médicaments à la sauvette).

Ainsi de Jihade Belamri, né en 1958, fils d'ouvrier algérien élevé au sein d'une famille de huit enfants dans la banlieue lyonnaise. Ses parents l'orientent vers une filière professionnelle ; il décide de poursuivre ses études et obtient son baccalauréat, puis un BTS. Dès l'enfance il s'est senti une âme d'entrepreneur. Il fonde à vingt-cinq ans un magasin de disques qui fait faillite. Il rejoint alors un bureau d'études en tant que technicien, progresse dans la hiérarchie, puis crée en 1990 BEE, bureau d'études et d'ingénierie industrielles basé à Lyon, aujourd'hui implanté à Paris et à Alger, et qui emploie une quarantaine de personnes.

Ainsi de Fetih Hakkar, originaire de Vénissieux, dans la banlieue lyonnaise. Ouvrier titulaire d'un BTS technico-commercial, il quitte un emploi salarié en 2010 pour tenter l'aventure entrepreneuriale et lancer LikeDat' Compagnie, qui produit et commercialise du jus de datte sans colorants ni arômes artificiels. LikeDat' est aujourd'hui distribuée en France, en Amérique du Nord, en Afrique et en Asie.

Ainsi de Takao Sasaki, au Japon, qui perd son emploi de salarié dans l'industrie des sushis à cause du tsunami de 2011. Fort de vingt années d'expérience, il crée sa propre entreprise de sushis dans la région de Tōhoku. Il emploie actuellement plus d'une dizaine de personnes.

Ainsi de certains élèves de grandes écoles qui, par tradition familiale, ont fait des études classiques avant de se réorienter : en France, chaque année, plusieurs dizaines de ces étudiants, s'étant d'abord pliés au modèle familial de réussite, décident, avant ou après l'obtention de leur diplôme, de devenir plombier, menuisier ou pâtissier, etc.

Toutes et tous, quelle que soit la taille de leur entreprise, « entrepreneurs de l'envie » ou « entrepreneurs de la survie », ont compris qu'il n'y a pas d'entreprise sans marché, ni de marché sans clients satisfaits. Ce ne sont donc pas seulement des égoïstes intelligents, mais aussi des altruistes pour motifs rationnels, qui déploient de plus en plus d'efforts pour s'intéresser à leurs clients et fournisseurs à venir, autrement dit au bien-être des générations futures.

CHAPITRE 5

Les entrepreneurs positifs

D'autres, ayant compris qu'on ne peut réussir une entreprise que si elle rend un service utile à des clients, qu'on peut mieux se débrouiller soi-même si on aide des autres à en faire autant, décident de passer de l'égoïsme intelligent, qui en a fait des entrepreneurs, à l'altruisme rationnel, en quoi ils trouvent la réalisation de leurs aspirations dans l'aide aux autres, parfois même sans espérer en tirer profit.

Je les appelle « entrepreneurs positifs ».

On les trouve d'abord parmi ceux qui gèrent leur entreprise dans l'intérêt des prochaines générations d'actionnaires, puis parmi ceux qui en créent de nouvelles pour servir des intérêts plus larges encore, et parmi ceux qui pallient les insuffisances des États.

Ceux qui gèrent leurs entreprises en tenant compte de l'intérêt des générations suivantes d'actionnaires

C'est d'abord le cas de nombreuses entreprises familiales qui raisonnent non pas en termes de résultats trimestriels, mais dans l'intérêt des futures générations de propriétaires, réinvestissant l'essentiel de leurs bénéfices dans la préservation de la marque et dans l'innovation technologique. Elles forment ce que je nomme le « capitalisme patient ».

Ainsi des quarante entreprises familiales et bicentenaires rassemblées dans le « Club des Hénokiens », telles les éditions musicales françaises Henry Lemoine, la banque suisse Pictet & Cie, le brasseur japonais Gekkeikan et l'entreprise italienne de transport maritime Augustea, fondée en 1629.

Ainsi de la société Bénéteau, fondée par l'architecte naval Benjamin Bénéteau en 1884 : la passion pour l'innovation des membres successifs du clan familial sous-tend encore l'activité de la petite multinationale d'aujourd'hui.

Ainsi de la maison Hermès, née en 1837 sous la forme d'un atelier d'artisan sellier-harnacheur qui équipa, quelques décennies plus tard, les chevaux du tsar Nicolas II. À l'initiative des descendants de Thierry Hermès, la marque continue de s'imposer comme une référence internationale dans le domaine du luxe, tout en diversifiant ses activités. La maison est actuellement gérée par un représentant de la sixième génération, Axel Dumas.

Ainsi de la société de textile haut de gamme Blanc des Vosges, fondée en 1843 et gérée par la quatrième génération de la famille du fondateur, qui préserve un haut degré de savoir-faire dans une activité fortement exposée à la concurrence internationale.

Ainsi de la société Marnier-Lapostolle qui trouve ses racines dans la distillerie de liqueurs de fruits, fondée par Jean-Baptiste Lapostolle en 1827 à Neauphle-le-Château. Une cinquantaine d'années plus tard, l'époux de sa petite-fille, Louis-Alexandre Marnier, créa le Grand Marnier en mêlant le cognac à un fruit alors rare et exotique : l'orange. Six générations après la création de la société, cette liqueur est la plus exportée de France.

Ainsi du groupe Takenaka dont les origines remontent à 1610 et au maître charpentier nippon Tobei-Masataka Takenaka, bâtisseur de temples et de sanctuaires établi à Nagoya. Ce groupe est devenu l'un des principaux acteurs du secteur de la construction au Japon. Au XXᵉ siècle, il a bâti des édifices aussi divers que le grand magasin Takashimaya de Kyoto (1912), la Tokyo Tower (1958) et des stades comme le Tokyo Dome (1988), le Fukuoka Dome (1993) et le Nagoya Dome (1997). Dirigé encore par un membre de la famille, Toichi Takenaka, le groupe est aujourd'hui présent dans plusieurs pays d'Asie et d'Europe, ainsi qu'aux États-Unis ; il compte plus de 7 000 employés pour un chiffre d'affaires de 9 milliards de dollars.

Ainsi de grands conglomérats indiens comme Wadia Group dont les origines remontent à 1736 ; Aditya Birla Group, né de l'entreprise fondée en 1857 par Seth Shiv Narayan Birla pour le commerce du coton et aujourd'hui présent dans de nombreux secteurs (textile, ciment, télécommunications, services financiers...) et dans trente-six pays. Ou encore le groupe Tata, fondé en 1868 par Jamsetji Nusserwanji Tata.

Ainsi, au moins en principe, des entreprises publiques, dont la mission dépasse la simple rentabilité du capital.

Ceux qui tiennent compte de l'intérêt des générations suivantes pour gérer leurs entreprises

D'autres entreprises, soumises aux exigences du marché, opèrent de manière durable et responsable en tenant compte de l'intérêt des générations suivantes : elles forment leur personnel à ces exigences, économisent énergie et matières premières, et organisent leurs activités de mécénat autour des nécessités de la responsabilité sociale en pratiquant une certaine limitation des écarts de salaires. Parmi elles, on peut citer, en France, à des degrés divers, GDF-Suez, Air Liquide, Capgemini, L'Oréal, Michelin, Orange, Renault, Schneider Electric.

Ainsi des entreprises bénéficiant du label américain « B Corporation » qui certifie selon des critères précis (gouvernance, traitement des salariés) qu'une entreprise est socialement responsable et respectueuse de l'environnement. Aujourd'hui, près de 1 100 entreprises sont certifiées « B Corporation » de par le monde, comme le glacier américain Ben & Jerry's, ou Lumni, présente dans plusieurs pays d'Amérique du Sud, qui révolutionne le prêt aux étudiants en le rendant financièrement moins dangereux pour eux, ou encore le fabriquant argentin de savons biologiques Mas ambiente.

Ceux qui créent des fondations

Parce qu'ils ont gagné beaucoup d'argent en appréhendant les besoins des autres, certains entrepreneurs privés, « égoïstes intelligents », deviennent des « altruistes rationnels » en utilisant une partie de leurs gains pour créer des hôpitaux, des musées, des universités. Leur motivation peut être entièrement égoïste (échapper à l'impôt ou laisser une trace) ou partiellement altruiste (rendre une partie de l'argent qu'ils ont reçu), voire totalement désintéressée.

Ainsi de la fondation Ford, fondée en 1936 par Henry et son fils Edsel qui lui léguèrent toutes leurs actions sans droit de vote, soit 90 % du capital de la Ford Motor Company. Le motif initial était de contourner l'impôt sur les successions alourdi par le Revenue Act de 1935. Elle dispose aujourd'hui de 10,9 milliards de dollars pour promouvoir la démocratie et lutter contre la pauvreté et les injustices ; elle a soutenu la Grameen Bank de Muhammad Yunus à ses débuts en 1976, les activités culturelles dans les quartiers américains difficiles par le biais de Community Development Corporations, et se classe parmi les premiers donateurs privés au monde dans la lutte contre le SIDA.

Ainsi de la fondation Bill et Melinda Gates, dotée de 40 milliards de dollars, qui a investi dans de nombreux domaines scientifiques et médicaux cruciaux : mise au point d'un vaccin antipaludique qui serait commercialisé en 2015, amélioration des techniques de production du riz, vaccination des enfants des pays en développement – 1,5 milliard de dollars donnés à GAVI Alliance – et pour améliorer le système éducatif américain (par exemple 290 millions de dollars *via* le programme Intensive Partnerships for Effective Teaching).

Ainsi des fondations de George Soros, regroupées dans le réseau Open Society Foundations, qui promeuvent les droits de l'homme, la démocratie et les réformes économiques et sociales dans le monde selon les principes de Karl Popper, maître à penser de Soros. En plus de trente ans, il a dépensé près de 11 milliards de dollars au profit de ces causes.

Ainsi de la fondation Daniel et Nina Carasso, créée en 2010 en mémoire du fondateur de Danone, Daniel Carasso ; elle finance des projets en deux grands domaines : l'alimentation et l'art. Elle combat l'obésité de manière non médicale en accompagnant les familles en difficulté ; elle cofinance l'appel à projets de la Fondation de France qui encourage les enfants âgés de 6 à 16 ans à « s'ouvrir au monde par les arts et la pratique artistique », et finance la Fabrique Opéra qui associe les jeunes de quartiers défavorisés à la production de spectacles lyriques.

Ainsi de la « venture philanthropy », incarnée par exemple par Digital Jobs Africa, initiative de la fondation Rockefeller qui vise à changer la vie d'un million d'Africains en proposant à des jeunes à haut potentiel, dans six pays, de recevoir une formation et d'être ensuite employés dans le secteur des nouvelles technologies de l'information et de la communication sur le continent.

Ceux qui créent des entreprises sociales

D'autres créent des entreprises à but explicitement social :

Ainsi, en France, de Jean-Marc Borello, fils d'un militaire de carrière et d'une mère ouvrière, ancien éducateur pour jeunes délinquants, qui crée le Groupe SOS, devenu l'une des plus grandes entreprises sociales en Europe avec plus de 11 000 employés dans 300 branches de métiers.

Ainsi, en France, de Saïd Hammouche qui fonde Mozaïk RH, cabinet associatif de recrutement spécialisé dans la promotion de l'égalité des chances et de la diversité.

Ainsi, en France, de Sébastien Kopp et François-Ghislain Morillion qui fondent Veja, entreprise de baskets écologiques et équitables, en collaboration avec des coopératives de la forêt amazonienne brésilienne.

Ainsi, aux Philippines, de Tony Meloto, issu d'une famille modeste, qui travaille pendant sept ans chez Procter & Gamble, puis devient entrepreneur. Bénévole au sein de l'association chrétienne Les Couples pour le Christ à partir de 1985, il mène dix ans plus tard un programme consistant à créer un camp pour accueillir des jeunes délinquants et membres de gangs du bidonville de Bagong Silang. Préférant « la liberté de servir au pouvoir de diriger », il décide de développer ce programme et fonde la Gawad Kalinga Community Development Foundation pour aider à la création de villages d'une cinquantaine de maisons, autosuffisants et écologiquement responsables. Grâce à ce projet, un million de Philippins sont déjà sortis de la pauvreté.

Ceux qui nettoient le monde

Nombreux sont ceux qui ont choisi de s'atteler au traitement d'un des problèmes majeurs qui conditionnent la vie économique et sociale d'un pays, problème à la résolution souvent obérée par des enjeux socioculturels qui conduisent à le négliger, et dont les pouvoirs publics s'occupent souvent très mal :

celui de la propreté urbaine. Pour cela, ils créent des entreprises d'un genre bien particulier :

Ainsi du Dr Bindeshwar Pathak qui, parti de rien, installe en Inde, avec Sulabh International, des sanitaires économiques et écologiques dans près de 1,2 million de foyers, et 8 000 dans l'espace public, libérant plus d'un million d'intouchables de ces tâches qui leur étaient réservées.

Ainsi de Jack Sim qui crée à Singapour la World Toilet Organization, plateforme mondiale de services rassemblant aujourd'hui 235 organisations dans 58 pays, destinée à apporter une assistance technique aux entreprises de ce domaine et à influencer les gouvernements en termes de politiques de santé publique.

Ainsi de l'Estonien Rainer Nolvak qui lance en 2008 le Clean-Up Day, une journée de mobilisation pour faire nettoyer le pays de fond en comble par 50 000 personnes (soit 4 % de la population) ; au total, 10 000 tonnes de déchets sauvages et illégaux sont ainsi récoltés. L'initiative a été répliquée dans plusieurs pays, notamment en France où Julien Gée pilote l'initiative à travers l'ONG Let's do it, établissant une cartographie des décharges illégales et invitant les volontaires vivant à proximité à les nettoyer.

Ainsi de Boyan Slat, jeune Hollandais qui imagine une technique pour nettoyer les océans avec des barrages flottants et qui est en train de réussir à lever, par *crowdfunding*, les ressources nécessaires.

Ceux qui transforment l'école
pour aider les enfants
à prendre le pouvoir sur leur vie

Ainsi de la Colombienne Vicky Colbert. Née aux États-Unis, elle grandit à Bogota près de sa mère qu'elle décrit comme « une enseignante merveilleuse ». Diplômée de Stanford en éducation, elle prend conscience de la nécessité d'« apporter aux plus pauvres des pauvres une éducation de qualité », et développe des méthodes spécifiques. Devenue vice-ministre de l'Éducation au début des années 1980, elle fait appliquer ses méthodes dans plus de 20 000 écoles de son pays, puis crée en 1987 la fondation Escuela Nueva, répliquant ce modèle dans une vingtaine de pays avec d'excellents résultats.

Ainsi de Salman Khan, né aux États-Unis de parents immigrés, diplômé de Harvard et du MIT, analyste dans un fonds d'investissement à Boston, qui eut en 2004 à expliquer les mathématiques à sa cousine de douze ans, scolarisée à la Nouvelle-Orléans. Il réalise pour cela de brèves vidéos qu'il met en ligne sur Youtube, fondant ainsi la Khan Academy, organisation à but non lucratif visant à fournir un accès gratuit à des enseignements de la meilleure qualité possible partout dans le monde, *via* des vidéos accessibles en ligne. En 2009, convaincu d'avoir trouvé sa vocation dans l'enseignement, il démissionne pour se consacrer entièrement à la Khan Academy ; trois ans plus tard, celle-ci aide « plus de six millions d'étudiants par mois, soit dix fois le nombre d'étudiants qui sont passés par Harvard depuis sa création en 1636 », explique-t-il ; « les vidéos avaient été visionnées plus de cent quarante millions de fois et les étudiants avaient effectué un demi-milliard d'exercices grâce à notre logiciel. J'avais moi-même mis en ligne plus de trois mille leçons filmées (gratuites et sans publicités) en abordant des sujets aussi divers que les bases de l'arithmétique, l'analyse, la physique, la finance, la biologie, la chimie, la Révolution française, etc. »

Ainsi de François Taddei qui créa le Centre de Recherches Interdisciplinaires à Paris pour promouvoir de nouvelles pédagogies afin d'aider les étudiants à prendre des initiatives créatives et à développer leurs projets de recherche avec l'aide de mentors, d'institutions de recherche, d'entreprises privées et de fondations. Il offre trois programmes : une nouvelle licence, une maîtrise (Approches Interdisciplinaires du Vivant, AIV), une école doctorale (Frontières du Vivant, FdV).

Ainsi de Caroline Sost, diplômée de l'ESCP, d'abord cadre dans une grande société de jeux vidéo. En rupture avec les valeurs de son entreprise, elle décida de repartir de zéro et fonde en 2007 la Living School, école maternelle et primaire à Paris où l'enseignement vise à apprendre non un savoir-faire, mais un savoir-être, afin de faire des écoliers de futurs citoyens responsables capables de se trouver et de se débrouiller.

Ainsi de Miloud Chahlafi, diplômé de l'École Centrale à Paris, cofondateur en 2014 de l'Association Avicenne au Blanc-Mesnil (Seine-Saint-Denis), qui a pour objectif de promouvoir la réussite des adolescents des banlieues du « 93 » en leur proposant un soutien scolaire rigoureux, avec le concours d'autres diplômés de grandes écoles (Polytechnique, Centrale, École normale supérieure) eux-mêmes issus des milieux populaires ou de l'immigration. Convaincus que « de l'instruction naît la grandeur des Nations » (Jules Ferry), les fondateurs misent sur la motivation des parents et des enfants pour proposer à ces derniers un suivi régulier et exigeant, toutes les parties (professeurs, familles, élèves) s'engageant à respecter un code déontologique strict. Avicenne a accompagné la première année une centaine d'enfants dans leur préparation du brevet ou du baccalauréat. Les résultats obtenus sont prometteurs : 95 % de réussite au bac et 100 % au brevet pour celles et ceux qui ont suivi un stage Avicenne.

Ainsi de l'Américain John Holt, né en 1923 et décédé en 1985, promoteur de l'instruction à la maison. Diplômé de l'Université de Yale, professeur d'école primaire dans le Colorado puis à Boston, Holt théorise l'éducation et prône l'instruction à la maison puis la déscolarisation des enfants, convaincu que l'enseignement ne doit pas être imposé à l'enfant mais relever de ses goûts. Les écrits de John Holt, notamment *Parents et maîtres face à l'échec scolaire* (1964) et *Apprendre sans l'école* (1976) ont inspiré de nombreuses organisation telles que l'Evergreen College, dans l'État de Washington, et la National Youth Rights Association.

Ainsi de Bunker Roy, fondateur du Barefoot College à Tilonia, dans l'État du Rajasthan, en Inde. Diplômé du prestigieux Saint Stephen's College à Delhi en 1967, Roy crée en 1972 le Social Work and Research Center, plus connu sous le nom de Barefoot College, à Tilonia, pour aider les villageois à installer des pompes à eau et, plus généralement, pour proposer aux Indiens ruraux, jeunes et vieux, femmes et hommes, des formations en énergie solaire et en médecine afin qu'ils ne dépendent plus de l'aide extérieure. En une quarantaine d'années, près de 3 millions d'Indiens ont reçu des formations de médecin, d'ingénieur ou encore d'enseignant.

Ceux qui pallient les défaillances de l'État

Ceux qui redonnent une activité à chacun : Ainsi des Systèmes d'Échange Locaux (SEL), tel celui qui a vu le jour à Abbeville au début des années 2000, proposant à ses adhérents une resocialisation par l'activité donnant droit à des bons de réduction chez les commerçants de la ville ; le « séliste » remplit un questionnaire sur ses compétences et qualifications qui permet aux responsables du SEL de l'orienter vers

certains services à rendre. Il peut également développer ses compétences au sein d'ateliers capables de
former à certains métiers comme électricien, plombier, chauffagiste. La France compte aujourd'hui
plus de 600 SEL, dont 50 en Île-de-France, qui réunissent 3 000 familles.

Ainsi du chef britannique Jamie Oliver qui propose chaque année depuis 2002 à des jeunes en
réinsertion de travailler quelques mois dans son restaurant The Fifteen à Londres. Soixante-quinze pour
cent d'entre eux ont continué leur carrière dans la
restauration et certains ont même créé leur propre
restaurant, comme Tim Siadatan avec Trullo, dans
l'est de Londres.

Ceux qui protègent les autres : Ainsi de l'association « Pour un Tepalcatepec libre », dans l'État du
Michoacan, au Mexique, formée de citoyens équipés
d'armes sophistiquées qui protègent la population
locale depuis 2013. Le taux de criminalité élevé du
pays – 71 meurtres par jour en moyenne en 2012 –
et le manque d'investissement de l'État dans la protection des personnes ont contribué à faire naître des
groupes d'autodéfense dans les États les plus mar-
qués par le narcotrafic.

Ceux qui aident les personnes âgées : Ainsi de l'association Les petits frères des Pauvres qui vient en aide
aux personnes âgées de plus de 50 ans qui souffrent
de maladie – notamment la maladie d'Alzheimer –,
de la pauvreté et de l'exclusion. L'association est
créée en 1946 par Armand Marquiset, qui organise

sa première action pour les « vieux pauvres » du quartier Saint-Ambroise dans le 11ᵉ arrondissement de Paris. En 2013, les petits frères des Pauvres ont aidé plus de 40 000 personnes grâce à 10 300 bénévoles et 539 salariés.

Ainsi de Care to Go, entreprise fondée en 2010 à Phoenix par un ancien pilote de ligne, Gary Bates, qui aide les personnes âgées à voyager avec un accompagnateur qui effectue le trajet en avion avec eux, que ce soit pour partir en vacances, rejoindre des proches ou se rendre dans des centres médicaux.

Ceux qui éclairent les autres : Ainsi de la Coopérative électrique de l'arrondissement des Coteaux (CEAC), en Haïti, fondée en février 2014, qui réunit 1 600 ménages et des dizaines de petites entreprises en vue de partager et de mieux gérer l'électricité sur une île où 75 % de la population n'y a pas accès. Grâce au soutien du programme de l'ONU Côte Sud Initiative, la CEAC doit gérer un système d'électrification dual qui utilise 200 kilowatts de production par des génératrices diesel et 130 kilowatts de production d'énergie solaire pour fournir les membres.

Ceux qui gèrent la distribution d'eau : Ainsi des citoyens de Santa Cruz, en Bolivie, qui gèrent eux-mêmes la distribution d'eau dans leur ville depuis 1979. Dans un pays où les conflits autour de l'eau et de sa distribution soit par l'État, soit par des entreprises, ont toujours été nombreux, les habitants de la ville ont décidé il y a quarante-cinq ans de former une coopérative pour gérer efficacement et démocratiquement l'eau. La Saguapac, principale structure de la coopérative, compte plus de 150 000 membres qui se réunissent régulièrement. Grâce à ce fonctionnement, plus de 95 % des habitants de Santa Cruz ont accès à l'eau potable contre une moyenne nationale de 88 %.

Ainsi de « Girlie » Garcia-Lorenzo dont l'association Kythe, aux Philippines, veille à l'amélioration des conditions de prise en charge des enfants dans les hôpitaux publics. Kythe a été la première association philippine à être admise au sein du réseau Ashoka qui réunit plus de trois mille entrepreneurs positifs à travers le monde.

Ainsi du « mouvement des Zèbres » lancé par l'écrivain Alexandre Jardin, qui cultive « la joie de gouverner soi-même sans rien attendre des gouvernements ». Ses projets sont aussi variés qu'ambitieux : un site de « co-toiturage » pour permettre à des familles monoparentales de s'organiser pour améliorer leur logement, des sites d'aide et d'accompagnement à l'entrepreneuriat, un site de référencement du « produire en France », une plateforme d'investissement participatif dédiée aux projets à fort impact sociétal, un réseau d'épicerie solidaire, une plateforme d'aide aux devoirs destinée aux collégiens en difficulté, des formations gratuites en informatique pour élèves décrocheurs, etc.

Ceux qui nourrissent le monde

Ainsi de Michel Colucci, dit Coluche, né dans le 14ᵉ arrondissement de Paris dans une famille modeste (sa mère était employée chez un fleuriste et son père, qui mourut alors qu'il avait trois ans, était vendeur de légumes sur le marché). Il ne se contente pas de sa carrière de comédien ; choqué par la misère des rues françaises et l'impuissance de l'État, il crée Les Restos du cœur. Le premier ouvre le 21 décembre 1985 à Gennevilliers. Aujourd'hui, 900 000 personnes en bénéficient et plus de 100 millions de repas sont distribués chaque année. Juste avant de mourir d'un accident de moto, Coluche travaillait à un projet de Restos du cœur planétaire pour fournir des repas équilibrés aux milliards de gens souffrant encore de la faim. Il n'a jamais cessé de chercher à devenir soi, disant : « Je ne suis pas un nouveau riche. Je suis un ancien pauvre. »

Ainsi de Mohamed Hage, un informaticien dont la famille au Liban travaille dans le secteur de l'agriculture. Il ose implanter une serre commerciale sur le toit d'un immeuble en plein cœur d'Ahuntsic-Cartierville, quartier industriel de Montréal. Aujourd'hui, les deux fermes Lufa, concentrés d'innovations issues des domaines de la microbiologie, de l'agronomie, de l'informatique (gestion de certains insectes, notamment), nourrissent 6 000 personnes. La technique employée est reprise en d'innombrables autres lieux.

Ceux qui soignent le monde

Ainsi de Médecins Sans Frontières, fondée en 1971 par une dizaine de médecins et de journalistes, qui offre aujourd'hui une aide médicale d'urgence dans des situations dramatiques (guerres, famines, catastrophes naturelles) sur la planète entière.

Ainsi de Marie-Noëlle Besançon : constatant le manque de moyens, même en France, face aux maladies psychiques (mille psychiatres manquent dans les hôpitaux où l'attente pour une prise en charge ne cesse de s'allonger), elle développe des structures légères non médicalisées permettant l'accueil et le suivi de personnes atteintes de ces maladies et permettant des économies importantes pour le système de santé.

Ainsi de Bénédicte Défontaines qui s'attaque au faible taux de diagnostic de personnes atteintes de troubles de la mémoire alors qu'une prise en compte précoce permettrait d'atténuer leurs effets sur le long terme. Son réseau Aloïs qui regroupe des neurologues libéraux soucieux de démocratiser l'accès à cette prise en charge a permis d'établir des diagnostics précoces sur 6 500 personnes. Un de ses objectifs est notamment de développer la télémédecine dans les milieux ruraux.

Ainsi de Jean-Loup Mouysset qui développe un programme d'accompagnement global des personnes atteintes de cancer, passant notamment par du soutien psychologique et de l'éducation thérapeutique afin d'améliorer leurs chances de sortir de la maladie en bonne santé tout en limitant les cas de récidives.

Ainsi d'Anne Roos-Weil qui, partie de rien, s'attaque à la mortalité maternelle et juvénile en Afrique subsaharienne (où un enfant sur six meurt avant ses cinq ans) en conjuguant micro-assurance, technologies mobiles et travail de proximité pour développer la culture médicale dans les familles, permettre un traitement plus précoce de maladies infectieuses bénignes. Ayant démarré à Bamako, elle est parvenue à multiplier par trois le recours aux soins parmi ses mille premiers abonnés.

Ainsi du Mouvement de l'Économie positive, qui rassemble un très grand nombre de ces initiatives, et d'ÉcoplusTV, télévision sur Internet qui rend compte de ces initiatives.

CHAPITRE 6

Les militants

D'autres ne se contentent pas de se débrouiller eux-mêmes. Ils décident de faire de leur vie un moyen d'aider les autres à trouver leur vérité, parfois en orientant leurs choix, parfois en se contentant de les mettre en situation de les faire.

Ceux qui s'arrachent à leur vie dans le monde pour aider les autres par la prière et l'action qu'elle leur inspire

Ainsi de Henry Quinson, diplômé de la Sorbonne et de Sciences Po Paris en économie, trader à Wall Street, qui quitte brutalement la finance pour entrer au monastère de Tamié, en Savoie, et y méditer cinq années durant. Depuis, il enseigne l'anglais dans les quartiers défavorisés de Marseille.

Ainsi de Matthieu Ricard, fils du philosophe Jean-François Revel et de l'artiste peintre

Yahne Le Toumelin, qui étudie la biologie, se pré-pare à entrer à l'Institut Pasteur quand il découvre les grands maîtres spirituels tibétains. Bien qu'il ait obtenu en 1972 un doctorat en génétique cellulaire sous la direction du prix Nobel de biologie François Jacob, il part vivre dans l'Himalaya pour se consa-crer à l'étude et à la pratique du bouddhisme auprès de maîtres comme Kangyur Rinpotché et Dilgo Khyentsé Rinpotché ; en 1979, il devient lui-même moine et crée une ONG, Karuna Shechen, qui aide les plus pauvres au Tibet.

Ainsi d'Henri Groués qui naît en 1912 dans une famille bourgeoise et pratiquante lyonnaise. À l'âge de quinze ans, rentrant d'un pèlerinage à Rome, il rejoint les Capucins comme novice. Contraint par sa santé à quitter le monastère, il est ordonné prêtre en 1938 et devient « l'abbé Pierre », sans répit au secours des plus démunis.

Ainsi de Madeleine Cinquin, née à Bruxelles en 1908 dans une famille aisée de trois enfants ; elle n'a que six ans quand son père meurt noyé. Contre son entourage, elle prononce ses vœux à vingt-trois ans, devenant sœur Emmanuelle. Pendant près de qua-rante ans, elle enseigne les lettres en Turquie, en Tunisie et en Égypte. Au début des années 1970, alors qu'elle atteint l'âge de la retraite, elle choisit de vivre avec les chiffonniers du Caire et se bat pour « faire entrer de l'humanité dans les bidonvilles ».

Ceux qui mettent les autres
en situation d'être responsables

Ainsi de Mohandas Gandhi qui, à l'issue d'études de droit en Angleterre, part, contraint par l'impossibilité de trouver des clients en Inde, exercer le métier d'avocat en Afrique du Sud ; là, confronté à un racisme qui le bouleverse, il choisit la non-violence pour pousser les autres, y compris ses ennemis, à changer de comportement. Après des années de combat en Afrique, il revient en Inde en 1915, y lance le même mouvement et participe au combat pour l'indépendance en défendant l'idée d'une société indienne authentique, refusant tout apport du matérialisme et de la modernité.

Ainsi d'Alexandre Issaïevitch Soljenitsyne, né en 1918, orphelin de père, qui, pour avoir reproché, dans une lettre à un ami, au « génialissime maréchal » Staline les purges politiques qui avaient décapité l'Armée rouge et son alliance avec Hitler, est condamné à huit ans de camp de travail pour « activité contre-révolutionnaire », puis envoyé en relégation au Kazakhstan. Réhabilité en 1956, il s'installe à Riazan, à 200 kilomètres au sud de Moscou. Sous Nikita Khrouchtchev, il publie son premier livre, *Une journée d'Ivan Denissovitch*, relatant les conditions de vie dans un camp de travail forcé soviétique. Il donne ainsi l'alerte au monde entier sur les réalités du système soviétique et du Goulag. Il pousse de nombreux Russes à résister et « à ne pas vivre dans le mensonge ».

Ainsi de Václav Havel, né en 1936 à Prague. Issu de la grande bourgeoisie rejetée par le régime communiste instauré en Tchécoslovaquie en 1948, l'université refuse de l'admettre ; il commence à travailler comme technicien de laboratoire, éclairagiste, ouvrier, il écrit des pièces de théâtre et devient le symbole de la dissidence face à la répression. En 1976, il défend un groupe de rock interdit par le Parti, ce qui aboutit à la « Charte 77 » réclamant le rétablissement des libertés ; il est à de nombreuses reprises emprisonné pour avoir dénoncé les atteintes aux droits de l'homme. Il pousse par son attitude nombre de ses compatriotes à la résistance. Après la chute de l'Union soviétique, il est élu président de son pays en 1993.

Ainsi d'Irving Stowe, diplômé en droit de Yale. D'abord opposant à la guerre du Vietnam, inspiré par sa foi quaker, il organise à la fin des années 1960 à Vancouver le mouvement Don't Make a Wave afin d'exiger l'arrêt des essais nucléaires atmosphériques en Alaska par des actions non violentes (concerts, occupation des lieux). En 1972, les États-Unis renoncent à ce programme d'essais et Don't Make a Wave Committee devient Greenpeace.

Ainsi de Brendan Martin qui débute sa carrière à Wall Street et devient associé de la start-up d'information financière Theflyonthewall.com. À l'automne 2004, marqué par *The Take*, le documentaire de Naomi Klein et Avi Lewis qui montre comment, dans une Argentine en crise, des travailleurs ont repris des entreprises pour en faire des coopératives, il fonde The Working World, aujourd'hui présente en Argentine, au Nicaragua et aux États-Unis, qui accompagne et finance la création et la croissance de coopératives et encourage les travailleurs à acquérir les compétences nécessaires en gestion d'entreprise, à préparer leurs business plans, et leur accorde des prêts.

Ainsi de Liu Xiaobo, né dans le nord-est de la Chine en 1955. Issu d'une famille d'intellectuels, Liu obtient un doctorat ès lettres à l'Université normale de Pékin en 1988. Sa thèse et ses premiers écrits, très critiques envers l'idéologie maoïste, sont censurés. L'année suivante, il quitte l'Université de Columbia, où il enseigne, et retourne en Chine pour participer aux manifestations de la place Tian'anmen. Militant des droits de l'homme, il est régulièrement emprisonné par les autorités chinoises. Il reçoit le prix Nobel de la paix en 2010 alors qu'il a été condamné à onze années de prison en 2009 pour « incitation à la subversion du pouvoir d'État ». Il est une source d'inspiration pour bien d'autres militants.

Ceux qui permettent aux autres de choisir leur vie

Ainsi d'Edward Carpenter, un des premiers militants, dans l'Angleterre victorienne, de la légalisation de l'homosexualité et de l'union libre. Dans

The Intermediate Sex, publié en 1908, il défend l'idée que l'attirance entre personnes de même sexe est une orientation naturelle. Dans *Love's Coming of Age* il défend également la promotion de la liberté sexuelle et économique des femmes, et dénonce l'institution du mariage comme une forme de prostitution institutionnalisée.

Ainsi d'André Baudry, ancien séminariste et professeur de philosophie, qui fonde en 1954 le groupe et la revue « homophiles » *Arcadie* afin de promouvoir le droit pour les homosexuels à être considérés en France en « citoyens comme les autres ». En mai 1979, il organise à Paris une conférence internationale intitulée « L'homosexualité vue par les autres » qui rassemble près de 1200 participants.

Ainsi de Kristoffer Johansson qui dirige Unga Kris, communauté visant, par le développement du sens de la responsabilité et de l'estime de soi, à la réintégration de délinquants à leur sortie de prison, à prévenir la violence dans les écoles, à offrir des opportunités d'emploi aux jeunes sans expérience et à éviter la récidive des jeunes délinquants à l'expiration de leur peine.

Ainsi de Nikolaï Alexeïev qui fonde en 2006 en Russie la Moscow Pride promouvant l'émancipation des homosexuels ; lors de la première Gay Pride à Moscou, il est roué de coups par des militants homophobes, puis à de nombreuses reprises arrêté et placé en détention.

Ainsi d'Assiya Gourra qui commence à enseigner la lecture aux femmes dans les campagnes marocaines lorsqu'elle se rend compte que celles-ci maîtrisent suffisamment la couture et la broderie pour en faire une activité rémunérée. Assiya crée l'association Avenir Jeunesse Benslou, transformée plus tard en coopérative.

Ainsi des conférences TED (Technology, Entertainment, Design), cofondées par Richard Saul Wurman et Harry Marks à Monterey, en Californie, en 1984. La première conférence réunit le mathématicien Benoît Mandelbrot, qui présente la théorie des fractales et ses applications, et les concepteurs du Compact Disc de Sony. L'événement est un échec financier et la deuxième conférence n'a lieu qu'en 1990. Aujourd'hui, TED et ses centaines d'événements annuels se veulent un véritable « propagateur d'idées » qui change les hommes et le monde *via* un format unique de conférences. Chaque conférencier invité est amené à développer une idée forte, sans notes, pendant moins de 18 minutes. Avec plusieurs milliers de conférences gratuites en ligne, TED promeut un savoir accessible à tous. Fin 2012, les TED Talks ont été visionnées plus d'un milliard de fois sur Internet. TED est devenu un des principaux lieux d'exposés mondiaux de « devenir-soi ».

Ceux qui transgressent et trahissent les puissances qu'ils servent

D'autres, employés par un système, ont découvert sa nocivité et décidé de le combattre de l'intérieur, de dénoncer la concupiscence au sein de leur Église, les actes absurdes ou néfastes de l'administration dont ils font partie, les crimes d'une grande entreprise où ils travaillent.

Ainsi de Daniel Ellsberg, né en 1931 à Chicago, docteur en économie de Harvard, qui travaille dans les années 1960 au Département de la Défense américain sous Robert McNamara, puis pour le *think tank* RAND qui conseillait le Pentagone. En 1971, il communique au *New York Times* les Pentagon Papers qui révélent aux Américains les dérives de la guerre et l'impossible victoire de leur armée. S'ensuivent de grandes manifestations ainsi que des procès intentés par l'État américain, finalement débouté par la Cour suprême.

Ainsi de Mikhaïl Gorbatchev, né dans le Nord-Caucase, en 1931, de parents travaillant dans un kolkhoze, emprisonnés comme ses aïeux pour opposition au régime soviétique alors qu'il était enfant. Il suit d'abord le parcours du parfait apparatchik : décoré de l'ordre du Drapeau rouge du Travail, membre des jeunesses communistes puis du Parti jusqu'à devenir membre du Comité central en 1971. En 1983, alors qu'Andropov est au pouvoir, il comprend, lors d'une rencontre avec Alexandre Iakovlev, alors ambassadeur au Canada, la nécessité pour le Parti de mener des réformes politiques et économiques structurelles. Arrivé au pouvoir en 1985 après la disparition d'Andropov et de Tchernenko, il lance les politiques de libéralisation *glasnost* et *perestroïka* qui conduisent à la fin de l'URSS et de la guerre froide.

Ainsi de Jeffrey Wigand, cadre de l'industrie du tabac pendant cinq ans avant d'être licencié pour avoir essayé de forcer son entreprise à respecter le retrait d'une substance addictive nocive dans la fabrication de ses produits. Ses révélations sur l'étendue des pratiques de ce genre influencent grandement les procès des années 1990 mettant en cause le cartel du tabac ; ceux-ci se soldent par des amendes de 246 milliards de dollars.

Ainsi de Hervé Falciani, informaticien de la banque HSBC en Suisse, qui livre aux administrations fiscales de plusieurs pays des listes de comptes bancaires non déclarés, en lien avec des soupçons de fraude fiscale. La justice helvète a émis un mandat d'arrêt international à son encontre pour violation du secret bancaire, mais la France et l'Espagne, avec lesquelles il coopère étroitement, refusent de l'extrader.

Ainsi de l'analyste militaire Chelsea Manning, connu sous le prénom masculin « Bradley », qui transmet à Julian Assange près de 400 000 documents confidentiels relatifs aux modes opératoires de l'armée américaine en Irak, et 77 000 sur ceux dans la guerre en Afghanistan. Né en 1971, informaticien de formation, condamné pour plusieurs faits de piratage en Australie en 1994, Assange, constatant l'asymétrie informationnelle entre États et citoyens au profit des premiers, développe des moyens de cryptage qu'il diffuse librement, puis organise la divulgation systématique de connaissances dont disposent les pouvoirs publics à travers son site Wikileaks, fondé en 2006. Chelsea Manning a été condamné à trente-cinq ans de réclusion criminelle sous vingt chefs d'accusation sur vingt-deux, dont celui de « coopération avec l'ennemi » aurait été passible de la peine de mort. Julian Assange n'est pour l'instant inculpé que de crimes annexes liés à la divulgation. Réfugié au sein de l'ambassade équatorienne à Londres depuis 2012, il est menacé d'extradition vers la Suède et les États-Unis.

Ainsi d'Edward Snowden, née en 1983, et qui, à trente ans, informaticien au sein de la NSA, révèle aux médias les pratiques de cet organisme sur la captation des métadonnées des appels téléphoniques aux États-Unis, ainsi que les systèmes d'écoute tels que PRISM ou certains programmes de surveillance. À la suite de ces révélations, il se réfugie à Hong Kong, puis à Moscou. Il milite aujourd'hui pour un Internet libre dans lequel les citoyens devraient crypter au maximum leurs données.

Ceux qui se trouvent en faisant de la politique

Ainsi d'Abraham Lincoln, né en 1809 dans une famille de fermiers pauvres du Kentucky. Orphelin de mère à l'âge de neuf ans, son enfance et son adolescence sont rythmées par les travaux de la ferme et il fréquente peu l'école. Il suit sa famille dans l'Indiana puis l'Illinois, et s'installe à New Salem en 1831, vivant de menus emplois de magasinier. Son éloquence lors d'un débat organisé par une association locale retient l'attention des notables de la ville qui le poussent à se présenter aux élections ; il décide alors d'entrer en politique et rejoint le parti whig en 1832 ; il devient président des États-Unis en 1861.

Ainsi de Charles de Gaulle qui, après une éducation conservatrice voulue par son père, professeur pluridisciplinaire (grec, latin, mathématiques), choisit le métier des armes ; il participe à la Première Guerre mondiale. Très vite habité par l'idée qu'un grand destin l'attend, il promeut de nouvelles idées en matière militaire. Après la débâcle, le 17 juin 1940, refusant la demande d'armistice du maréchal Pétain, il s'envole pour Londres d'où il lance le lendemain son appel à la résistance.

Ainsi de Margaret Thatcher, née en 1925 à Grantham ; son père, commerçant et pasteur méthodiste, y exercera comme maire en 1945-1946. En 1943, bénéficiant d'une bourse pour aller dans la meilleure école pour filles de la ville, elle aurait exprimé son désir de faire de la politique et de « tenter d'entrer au Parlement » ; elle choisit cependant d'étudier la chimie en entrant à Oxford. Bien qu'obtenant de bons résultats avec la future Nobel Dorothy Hodgkin, elle comprend que sa vocation est politique. Présidente de l'Union des étudiants conservateurs d'Oxford, elle est désignée comme candidate pour conquérir le fief travailliste de Dartford aux élections de 1948. Échouant, ce n'est qu'après son mariage avec Denis Thatcher qu'elle suit des cours de droit, le soir et le week-end, tout en travaillant, et qu'elle entame une carrière politique qui l'amène au 10, Downing Street en 1979.

Ainsi de Luiz Inácio Lula da Silva, né en 1945 dans l'État de Pernambouc, au Brésil. Sa mère, abandonnée par son père lorsqu'il a sept ans, élève seule huit enfants dans la misère. Dès l'âge de douze ans, il est obligé de quitter l'école pour travailler et devient cireur de chaussures, puis ouvrier dans une usine automobile. À la fin des années 1960, alors que son pays connaît une forte croissance économique qui ne bénéficie pourtant pas à la classe ouvrière, Lula s'engage dans la lutte syndicale. Après être devenu président du syndicat de la métallurgie de São Paulo en 1975, il fonde en 1980 le Parti des travailleurs, et est élu président du Brésil entre 2003 et 2011.

Ainsi de Joko Widodo, né en 1961 à Surakarta, sur l'île de Java, dans une famille très modeste ; il travaille pour financer ses études en foresterie, puis crée un petit commerce de menuisier, échoue, et devient vendeur de meubles. En 2005, choqué par la corruption de l'administration et par la pauvreté qui sévit dans sa ville, il décide de s'engager en politique. Il a depuis gagné toutes les élections auxquelles il s'est présenté, jusqu'à être élu en juillet 2014 président d'Indonésie, le premier à n'être pas issu de l'entourage proche de l'ancien dictateur Suharto ou de la caste militaire sur laquelle celui-ci s'appuyait.

Ceux qui s'arrachent au destin prévu pour eux et changent le monde par leurs paroles

C'est en particulier le statut de la plupart des fondateurs de religions dont le destin est souvent passé par un arrachement à leur milieu.

Ainsi de Siddhārta Gautama, né au VIe siècle avant Jésus-Christ. Issu d'une famille régnant sur un territoire devenu l'actuelle province indienne de l'Uttar Pradesh, à la frontière avec le Népal, il découvre à vingt-neuf ans la souffrance et la mort. Abandonnant son avenir royal dans une « grande renonciation », il devient « l'Éveillé », Bouddha.

Ainsi de Moïse, élevé comme un prince à la cour d'Égypte, qui, découvrant, une fois devenu adulte, la souffrance des Hébreux, tue un contremaître égyptien. Apprenant qu'il est né dans la tribu de Lévi et qu'il a été recueilli, encore nourrisson, par la fille de Pharaon, il s'arrache à son milieu, prend la tête des esclaves et libère son peuple.

Ainsi de Mahomet, né à La Mecque vers 570 dans une famille pauvre. Orphelin à l'âge de six ans, élevé par son grand-père et son oncle, il épouse en 595 une veuve riche, Khadîja, et devient un marchand prospère et respecté. À l'âge de quarante ans, au cours d'une retraite spirituelle, l'archange Gabriel s'adresse à lui et lui enjoint de répandre la parole de Dieu. En dépit de l'opposition des grandes familles mecquoises, Mahomet prêche un nouveau monothéisme et se voit contraint de quitter La Mecque pour Médine en 622. Jusqu'à son décès en 632, il récite à ses compagnons ce qui deviendra le Coran, et institue les rites de l'islam.

TROISIÈME PARTIE

LES PENSEURS DU « DEVENIR-SOI »

Tous ces exemples, parmi bien d'autres, montrent qu'il est possible d'échapper à une vie apparemment toute tracée, de ne pas se résigner, de ne pas tout attendre des autres, de s'arracher à ce que ceux-ci veulent qu'on soit, de ne plus être un « résigné-réclamant ». De prendre le pouvoir sur sa propre vie pour être ensuite en mesure de réussir ce que j'appelle ici le « devenir-soi ». Et, par là, d'être aussi utile aux autres, et d'aider le monde à échapper à l'irrésistible ascension du Mal.

Ces gens-là l'ont fait dans des environnements souvent ingrats et difficiles, de façon éclatante ou anonyme, spirituellement, artistiquement, philosophiquement, matériellement. Certains ont suivi l'appel d'une vocation, d'autres ont subi le choc d'une rencontre, d'autres encore ont ressenti l'urgence d'une nécessité.

La plupart, sinon tous, l'ont fait sans lire de manuels ou de théories sur le sujet, poussés par leur seul courage, leur intuition, parfois le dos au mur, dans l'improvisation de l'urgence.

Pourtant, nombreux sont aussi ceux qui ont réfléchi à ces questions : quelles pratiques, quelles théories peuvent permettre d'y parvenir ? Comment trouver le courage de ne rien attendre des autres ? Comment assumer à la fois sa liberté et les limites de sa condition ? Comment devenir soi ?

On ne compte pas les théologiens, les philosophes, les écrivains qui ont parlé de cette démarche ; bien des livres ont exposé des approches, proposé des doctrines visant à aider à refuser un destin imposé ou, au contraire, à s'y résigner.

Voici une brève histoire du « devenir-soi ».

CHAPITRE 1

Ce qu'en disent religions et philosophies

A priori, toute religion ne peut que s'opposer à cet acte de liberté qu'est le choix, par chacun, de sa propre vie, à cette appropriation de soi qu'est le refus d'un destin imposé. Les hommes, disent-elles presque toutes, appartiennent aux dieux ou à Dieu ; ils sont leur/Sa chose ; ils ne peuvent que se soumettre à leurs/Ses caprices ainsi qu'à ceux de la nature dont les dieux sont les maîtres. Les hommes ne peuvent et ne doivent donc rien faire pour échapper à leur sort sur terre et après la mort, mystère dont décident exclusivement les (ou le) dieux.

Aussi est-ce au nom des dieux que princes, guerriers et prêtres imposent leur condition aux hommes. Ceux-ci, à leur tour, imposent la leur aux femmes et aux enfants. Les humains se résignent alors à ne pas penser pour soi, à accepter l'étroitesse de leur libre arbitre, à borner leur « devenir-soi » à un « devenir-sujet ». Pour beaucoup de ces théologiens, l'exercice de la liberté débouche sur la rivalité et la violence.

De plus, le seul « devenir-soi » qui compte vraiment, pour la plupart des religions, est ce qui nous attend après la mort. Et la seule chose que les hommes doivent faire pour réussir ce passage, disent-elles, est de se conformer au mieux, de leur vivant, aux commandements des dieux et aux exigences de la nature qui en sont les expressions. Tout rebelle se verra privé par un juge suprême d'un au-delà réussi.

Ainsi, dans les civilisations mésopotamiennes, l'*Épopée de Gilgamesh*, élaborée vers -2000 avant notre ère, première évocation connue par écrit du « devenir-soi », est une quête d'un soi éternel. Dans sa démesure, Gilgamesh, roi d'Uruk, deux tiers dieu, un tiers homme, s'attire le courroux des puissances supérieures. Il rencontre « celui qui a reçu l'immortalité » en survivant au Déluge, et finit par accepter sa condition de mortel.

Dans les civilisations sibériennes et amérindiennes, en particulier dans une de leurs plus belles expressions – celle des Anasazis venus de Sibérie pour devenir les Hopis d'Arizona –, les hommes ont la liberté d'agir, mais agissent mal ; cela les conduit à disparaître à jamais, à l'exception de quelques-uns, plus méritants, qui passent d'un univers au suivant, avec chaque fois une nouvelle opportunité de bien se conduire. Ils sont d'abord envoyés par les dieux à Tokpela ou « espace infini » ; mais quand une grande partie d'entre eux désobéissent aux dieux, veulent choisir leur destin et se disputent, Tokpela est détruit ; seuls les hommes les plus respectueux des divinités, les plus soumis, survivent et passent dans un deuxième monde, Tokpa ou « minuit sombre », de couleur bleue, où les dieux mettent encore tout à leur disposition pour être heureux ; mais les hommes se veulent encore libres, choisissent de se consacrer à l'accumulation de biens matériels, construisent des villages, n'honorent plus les divinités et se battent entre eux. Tokpa est alors gelée ; seuls quelques hommes fidèles aux dieux sont sauvés et passent dans le troisième monde, Kuskurza, de couleur rouge ; mais une nouvelle fois les hommes veulent décider de leur destin ; ils y bâtissent de grandes villes, cèdent au désir de puissance et finissent par s'affronter de nouveau ; la rivalité est pour eux la conséquence de la liberté ; le troisième monde est alors inondé ; les derniers survivants passent alors dans Tuwaqachi, le quatrième monde, où nous sommes aujourd'hui et qui va bientôt disparaître pour les mêmes raisons, afin de laisser place à un cinquième univers, le dernier, ultime chance de l'humanité.

Une des premières, sinon la première vision du monde qui pose vraiment la question du « devenir-soi » ici-bas, hors de toute espérance d'immortalité, est le judaïsme. Il va jouer un rôle majeur dans la constitution de la conception moderne du « devenir-soi », et mérite qu'on s'y arrête un peu plus longuement.

Pour lui, le sens de la création du monde, le rôle de l'homme sur la terre est à la fois la réparation du monde (le *tikkoun olam*) laissé imparfait par Dieu et la réparation de l'homme (le *tikoun HaAdam*), laissé lui aussi imparfait par Dieu.

C'est d'ailleurs l'objet de l'histoire du fondateur du peuple hébreu, Abraham, bien avant même qu'une Loi ne soit transmise à ce peuple par Moïse. Ce récit, évidemment imaginaire et symbolique, comme celui de la vie de Moïse, commence au moment où Avram (qui deviendra Abraham) quitte la maison de son père pour accomplir son propre destin et se réaliser, libéré d'un passé idolâtre, en route vers une vision nouvelle du monde et la fondation d'un nouveau peuple. Le verset biblique qui introduit cette histoire (Berechit 12, 1-9) peut être traduit littéralement de l'hébreu par : « Va pour toi, de ta terre, du lieu de ta naissance, de la maison de ton père, vers la terre que je te montrerai. » Ce qu'une traduction classique de la Bible rend par : « Quitte ton pays, le lieu de ta naissance, la maison de ton père, pour aller vers la terre que je te montrerai. »

En apparence, Avram prend ainsi conscience de ce qu'il doit devenir sur ordre de Dieu. Son destin n'est donc pas un acte de liberté, c'est seulement un ordre, une injonction d'obéissance à une loi divine. En fait, la signification de ce texte est beaucoup plus subtile, car la traduction citée plus haut n'est pas la seule possible. En particulier parce que, dans la traduction officielle, l'ordre des mots est bizarre : quelqu'un qui aurait quitté son pays aurait nécessairement déjà quitté la ville de sa naissance et, avant encore, la maison de son père. Dieu aurait donc dû dire en bonne logique à Avram : « Quitte ta maison, puis quitte ta ville et va même jusqu'à quitter ton pays. »

Pour donner un sens à l'ordre étrange des mots qui le composent, il convient de relire autrement ce court texte ; on découvre alors qu'une autre logique, une autre chronologie l'explique et permet de le comprendre comme un premier mode d'emploi du « devenir-soi », un premier exercice de liberté.

Au lieu de traduire les premiers mots *Lek Lekha, Me'Eretsera* (littéralement « Va vers toi, de ta terre ») par « Quitte ton pays », on peut les traduire par : « Va vers toi, quitte ta volonté », car le mot *Erets*, qui désigne la terre, a la même racine que *Ratson*, qui désigne la volonté. Il faut donc entendre que prendre le pouvoir sur soi suppose dans un premier temps d'échapper aux illusions de ses désirs, de se délivrer de ce qu'on croit être sa volonté, de lâcher prise. Telle est la première étape de cette libération.

La deuxième étape du « devenir-soi » consiste donc, selon ce verset de la Bible, non pas à quitter le « lieu de sa naissance », mais, métaphoriquement, à abandonner ses convictions les plus intimes, celles qui sont enracinées, depuis sa naissance, dans sa propre culture. Et en particulier celles qui peuvent conduire à la violence.

La troisième étape consiste non pas à « quitter la maison de son père », mais à renoncer à son éducation familiale, celle qui semble la plus justifiée,

125

puisque enracinée dans les générations précédentes au point qu'on est censé à son tour l'incarner et la perpétuer. Et à renoncer aux idoles telles qu'elles étaient adorées dans « la maison paternelle ».

Autrement dit, Avram doit « lâcher prise », s'éloigner de son propre désir, oublier sa vision du monde, puis renoncer à ses convictions profondes telles qu'elles découlent de cette vision, enfin s'éloigner de la volonté d'autrui, en particulier de sa famille tant biologique qu'intellectuelle.

Mais si Avram se libère, dans quel but ?

La traduction classique d'*Erets* dit qu'il se libère pour « aller vers la terre que je te montrerai », sans d'ailleurs préciser de quelle terre il est question : le texte ne fait qu'évoquer une terre anonyme, ni conquise, ni promise texte mais seulement montrée.

Là encore, si on choisit de lire *Ratson* et non *Erets*, il s'agit d'aller « vers la volonté que je te montrerai ». Le but du voyage d'Avram ne serait donc pas de rejoindre une terre, mais d'accéder à une volonté supérieure transcendant celle du désir, des convictions ou de la culture. La libération de l'homme doit le conduire à prendre conscience qu'il peut choisir d'être totalement libre ou d'accepter la présence divine ; libre d'admettre la présence de Dieu ou de la refuser. Autrement dit encore : la liberté consiste en la capacité de fixer des limites au libre arbitre pour protéger la liberté des autres telle que voulue par Dieu.

De fait, ce choix est nécessaire pour libérer les hommes de la rivalité que provoque la propriété, comme de Bible le raconte à propos d'Abel et Caïn.

Quand, bien plus tard, au temps de Moïse, la Loi sera donnée aux hommes, le texte de la Bible dira encore qu'elle est seulement affirmation de la liberté humaine. En effet, selon un commentaire (*Midrash*), les tables de la Loi ne sont pas « gravées dans la pierre », comme on traduit d'habitude le texte hébreu, mais elles sont « libertés dans la pierre » dès lors qu'au lieu de lire *Harout* (gravées), on lit *Herout* (liberté), deux mots qui s'écrivent de même façon en hébreu.

Au total, la Loi juive, expression de la volonté divine, fournit une méthode pour « devenir-soi », pour enserrer la liberté de chacun dans les conditions nécessaires à la maîtrise de la rivalité.

Pour l'hindouisme, le seul « devenir-soi » qui vaille, c'est sortir du *saṃsāra,* le cycle des réincarnations, passage incessant de la vie à la mort, d'une forme à une autre, dans la souffrance des désirs insatisfaits, jusqu'à atteindre *moksha,* la lumière, libération finale de l'âme. Seule y conduit la connaissance (*pramanam* en sanskrit). Elle permet de comprendre que la nature profonde du sujet, sa véritable liberté est de faire un avec l'objet et d'échapper ainsi aux désirs. *Tat Tvam Assi* ou « Tu es Cela » est un des aphorismes des *Upanishads*, ces enseignements se référant au *Véda*. Dans le poème épique *Mahâbhârata*, Krishna, incarnation de Vishnou, enseigne en particulier au prince guerrier Arjuna que le yoga est une voie vers ce « devenir-soi ».

Dans le bouddhisme, le « devenir-soi » idéal doit viser à délivrer l'homme des trois « soifs » provoquées l'une par le désir d'annihilation, l'autre par le désir d'existence, la troisième par le désir des sens, pour atteindre au *nirvāṇa*, la paix intérieure. Pour parvenir à cette libération, il faut comprendre ce que le Bouddha nomme les « quatre nobles vérités » : l'existence est empreinte de souffrances ; toutes ces souffrances ont des causes ; découvrir ces causes permet de se débarrasser des souffrances ; enfin le « Sentier octuple » – notamment *via* la méditation – mène au *nirvāṇa*.

Au même moment, des penseurs d'Anatolie, de l'Attique et du Péloponnèse, qui seront plus tard nommés « Grecs », réfléchissent eux aussi de multiples façons à la capacité humaine de choisir son destin sur cette terre, sans référence explicite à l'immortalité, réservée pour eux aux dieux.

Pour les plus anciens d'entre eux, comme pour la plupart des cosmologies antérieures, l'homme ne peut échapper au sort que lui fixent les dieux dont il est le jouet. S'il tente d'y échapper, il peut être rattrapé par des événements tragiques. Il n'a pas d'autre issue, pour l'éviter, que de rechercher une harmonie avec le cosmos. Et encore, sans y parvenir toujours. Ainsi d'Œdipe qui fait tout pour éviter de tuer son père et d'épouser sa mère, comme le lui a annoncé l'oracle, mais qui, rattrapé par son destin, finit par l'accomplir sans le savoir.

Celui qui, plus qu'aucun autre, veut choisir sa vie, Thésée, se plie en fait au désir de son père, le roi Égée, quand il découvre sous un rocher les sandales et l'épée que son géniteur lui a laissées et qui lui imposent sa vocation héroïque de pourfendeur de monstres. Il tuera des brigands qui rançonnent les voyageurs, une créature qui terrorise les habitants de Crommyon, près de Corinthe, puis le Minotaure en Crète, mettant fin au tribut humain imposé par Minos. Avant de partir avec Ariane qui l'a aidé à tuer le monstre et qu'il abandonne à Naxos pour sa sœur, Phèdre, il finit par provoquer involontairement la mort de son propre père, le roi Égée.

L'évolution de la pensée grecque la conduit à lever progressivement les contraintes imposées par les dieux pour rejoindre l'idée de liberté déjà présente dans le judaïsme.

L'homme grec commence par dialoguer avec lui-même, par se découvrir et se choisir un destin. Le premier à le faire est Ulysse qui va de la guerre à la paix, de la haine à l'amour, du chaos à l'harmonie, de l'exil au retour chez soi, de la vie mauvaise à la vie bonne ; il refuse l'immortalité que lui propose Calypso ; rentré à Ithaque, il mûrit son projet de vengeance contre les courtisans occupant son palais. « Patience, mon cœur ! » s'écrie-t-il au Chant XX de l'*Odyssée*, dialoguant ainsi avec lui-même et empruntant le chemin de la connaissance de soi pour décider de son action.

Un peu plus tard, au VIe siècle avant notre ère, Héraclite d'Ephèse réfléchit lui aussi sur la découverte de soi comme condition de l'exercice de la liberté et de la sagesse comme moyen du « devenir-soi ». Il écrit dans le 101e de ses *Fragments* : « Je me suis cherché moi-même. » Il ajoute dans le 112e que le *logos* ou raison permet d'y parvenir : il suffit de dire « des choses vraies » et d'agir « selon la nature en écoutant sa voix ». Il ajoute dans le 116e : « À tous les hommes il est accordé de se connaître eux-mêmes et de faire preuve de sagesse. »

Pour les épicuriens et les stoïciens, proches des pensées hindouistes et bouddhistes qui s'élaborent au même moment, l'homme, pour se choisir, doit d'abord comprendre ce qui ne dépend pas de lui, et d'abord la mort, pour d'autant mieux agir sur ce qui dépend effectivement de son action. Dans la *Lettre à Ménécée*, Épicure écrit : « La mort, avec nous, n'a aucun rapport puisque tant que nous sommes, la mort n'est pas là, et une fois que la mort est là, alors nous ne sommes plus. » Comme les premiers bouddhistes, ses contemporains, Diogène ajoute que la seule vie qu'il convient de choisir est l'ascèse, la renonciation aux conventions sociales, au confort superflu, pour atteindre au « souverain bien ». Selon lui, « l'homme doit vivre sobrement, s'affranchir du désir, réduire ses besoins au strict minimum ».

De même, pour Platon, contemporain de Diogène, prendre le pouvoir sur sa vie, devenir soi implique d'abord de se connaître soi-même, formule que

Socrate dit reprendre d'une inscription figurant à l'entrée du temple d'Apollon, à Delphes. Pour lui, la connaissance de soi suppose d'abord une prise de conscience, par la maïeutique, de sa finitude, de sa place dans le monde que l'on ne peut refuser sans tomber dans l'*hybris*, la démesure. À ses yeux, le seul devenir-soi libre réside dans l'exploration du monde de la pensée (*nous*), illimité, qui est à la fois en nous et en contact avec des vérités éternelles, divines. Il écrit dans *Timée* (90 b-c) : « Lorsqu'un homme s'est donné tout entier à l'amour de la science et à la vraie sagesse, et que, parmi ses facultés, il a surtout exercé celle de penser à des choses immortelles et divines, s'il parvient à atteindre la vérité, il est certain que, dans la mesure où il est donné à la nature humaine de participer à l'immortalité, il ne lui manque rien pour y parvenir. »

De même, pour Aristote, le seul « devenir-soi » possible, celui qui permette d'éviter le tragique tout en restant compatible avec l'harmonie du cosmos, est de mener une « vie contemplative », seule à même de nous conduire au « parfait bonheur » en nous faisant échapper, au moins pour une part, à la condition de mortel. Il écrit dans l'*Éthique à Nicomaque* : « Il ne faut donc pas écouter ceux qui conseillent à l'homme, parce qu'il est homme, de borner sa pensée aux choses humaines, et parce qu'il est mortel, aux choses mortelles, mais l'homme doit, dans la mesure du possible, s'immortaliser et tout faire pour vivre selon la partie la plus noble qui est en lui. »

Pour le christianisme, au point de rencontre du judaïsme et de la pensée grecque, les hommes sont libres de choisir entre le Bien et le Mal, de suivre ou de s'écarter du Salut proposé par Dieu et par ceux qui ont porté Sa parole sur terre ; la seule chose à laquelle les hommes doivent chercher dans le « devenir-soi », c'est à « être sauvés », c'est-à-dire à être ressuscités. « Si vous demeurez dans ma Parole, vous êtes vraiment mes disciples ; vous connaîtrez la vérité et la vérité vous rendra libres » (Évangile selon saint Jean). La « vraie liberté », ajoute Paul de Tarse dans l'Épître aux Romains, est de mériter une vie heureuse après la mort en respectant et appliquant la parole du Christ, en particulier grâce au baptême : « Par le baptême, l'être humain que nous étions auparavant a été mis à mort avec le Christ sur la croix afin que notre nature pécheresse soit détruite et que nous ne soyons plus les esclaves du péché » (chapitre 6). La libération du péché mène le croyant non seulement à pouvoir espérer la résurrection, mais à vivre selon l'« Esprit de Dieu » qui l'aide à prendre le dessus sur les désirs : « Si, par l'Esprit, vous faites mourir les actions du corps, vous vivrez, car tous ceux qui sont conduits par l'Esprit de Dieu sont fils de Dieu » et auront part « à la liberté de la gloire des enfants de Dieu » (chapitre 8), c'est-à-dire à l'immortalité. Dans l'Épître aux Galates, Paul ajoute : « Ce n'est pas par les œuvres de la loi que l'homme est justifié, mais par la foi en Jésus-Christ. » Ainsi l'homme qui fait le bien n'est sauvé que s'il est aussi un croyant.

Un peu plus tard, le débat rebondit au sein de l'Église : contre Pélage qui affirme que l'homme ne peut être sauvé (c'est-à-dire ressuscité) que grâce à ses bonnes actions, Augustin d'Hippone affirme qu'il ne peut l'être sans la grâce divine – « grâce efficace » –, car le libre arbitre de l'homme est amoindri depuis le Péché originel. La pensée d'Augustin l'emporte et, pour l'Église, les actes des hommes ne peuvent suffire à les sauver. En particulier, la richesse interdit l'accès au Salut, c'est-à-dire à la résurrection, alors que la pauvreté la rend possible, mais non certaine. Autrement dit, le choix d'un « devenir-soi » matériel sur cette terre ferme les portes du Salut.

Ce débat sur la liberté humaine se reconfigure avec l'islam. Très vite, les mouvements qadarite, motazilite, puis acharite et maturidite se disputent à ce sujet : selon la doctrine sunnite, aujourd'hui majoritaire, le Coran enseigne que tout est écrit, aussi bien les événements dépassant les hommes que ceux dans lesquels leur responsabilité est engagée. L'homme peut choisir son « devenir-soi » parce qu'il ne sait pas qu'il est écrit. Étant omniscient, Dieu connaît le passé, le présent et l'avenir ; l'homme, lui, ne connaît pas son avenir, mais seulement la voie du Bien et la voie du Mal, entre lesquelles il est libre de choisir. « Oui, Nous l'avons guidé [l'homme], soit reconnaissant, soit ingrat » (Coran, LXXVI, 3). Et encore : « Ne l'avons-Nous pas guidé sur les deux voies ? » (Coran, XC, 10). Par leur raison et par leur faculté de connaître, par la liberté que Dieu leur a octroyée, ils peuvent apprendre, comprendre et décider du pire comme du meilleur. Leur ignorance de l'avenir fonde leur responsabilité, jugée au moment du passage dans l'après-vie. « Et par l'âme et Celui qui l'a harmonieusement façonnée, et lui a alors inspiré son immoralité, de même que sa piété ! A réussi, certes, celui qui la purifie. Est perdu, certes, celui qui la corrompt » (Coran, XCI, 7-10).

En cette fin du premier millénaire, tout est alors en place pour que l'homme puisse enfin vouloir se façonner un destin, prendre le pouvoir sur sa vie, être libre de se choisir.

CHAPITRE 2

Le « devenir-soi »
dans la pensée moderne

Le débat sur la capacité des hommes à choisir leur destin ne cesse ensuite de s'amplifier, au moins en Europe, avec le désir croissant des hommes qui peuplent ce continent de prendre le pouvoir sur leur propre vie, de refuser d'abord les mariages arrangés et l'entrée obligatoire dans les ordres des cadets de familles aisées.

Parmi les premiers, les marchands de Flandres et d'Italie refusent de continuer à croire que leur sort ici-bas est entièrement entre les mains de Dieu et de l'Église. Ils ne veulent plus admettre que seule la pauvreté permet d'obtenir le Salut. Ils savent qu'entreprendre peut changer leur existence et veulent croire que s'enrichir ne les privera pas du Salut.

Face à eux, des théologiens catholiques assènent que le destin de l'homme ne dépend pas de lui, mais de Dieu, et que seuls les pauvres auront accès à la Vie éternelle. Cornélius Jansen, évêque d'Ypres, affirme que le Salut de l'homme ne dépend que de

son Créateur qui le pourvoit à la naissance de la
« grâce suffisante » qui le mènera au Salut si – et
seulement si – il garde, aussi, toute sa vie durant, la
« grâce efficace » que le Très-Haut peut lui retirer à
tout moment. Jansen répète que la pauvreté et l'ascèse sont les formes de vie les mieux à même de lui
conserver la « grâce efficace ».

Dans le même sens, Blaise Pascal, qui découvre
sa foi à l'occasion d'un éblouissement mystique,
affirme que le « devenir-soi » n'est pas la réalisation
des désirs, mais la prise de conscience de ce qui permet de distinguer entre le Bien et le Mal tout en laissant libre de préférer le Mal : « Toutes vos lumières
ne peuvent arriver qu'à connaître que ce n'est point
dans vous-même que vous trouverez ni la vérité ni
le bien », écrit-il dans les *Pensées*. Pour lui, même si
le seul moteur de l'action humaine est le désir d'être
heureux, seul Dieu peut accorder ce bonheur. Dieu,
accessible à ceux qui veulent Le voir : « Il y a assez
de lumière pour ceux qui ne désirent que de voir, et
assez d'obscurité pour ceux qui ont une disposition
contraire. »

À l'inverse, certains théologiens de la même
époque entendent montrer que la réussite matérielle
n'interdit pas le Salut. Ainsi Jean Calvin, à Genève,
affirme vers 1530 que l'homme est sauvé par Dieu
indépendamment de sa propre volonté et de la vie
qu'il mène. Un autre théologien rebelle à Rome, le
Saxon Martin Luther, écrit au même moment, dans
son traité *De la liberté chrétienne* : « Les bonnes

œuvres n'ont jamais fait un homme bon, mais un homme bon fait de bonnes œuvres. » Autrement dit, l'action bonne, en particulier la réussite matérielle, est signe de l'élection divine et non pas condition de celle-ci.

Les Jésuites, menés par l'Espagnol Luis Molina, vont même aller plus loin en affirmant que si faire le bien assure le Salut, réussir matériellement ne peut y nuire.

Peu à peu s'affirme, par des penseurs dans et hors de l'Église, le droit de réaliser ses désirs, de vivre heureux ici-bas. Sans que soit encore pour autant accepté le libre choix d'un conjoint ou d'un métier, qui reste l'apanage des pères.

Pour Étienne de La Boétie dans son *Discours de la servitude volontaire*, écrit en 1549 à l'âge de dix-huit ans, l'homme désire en premier lieu être libre, s'arracher à sa condition servile. S'il ne l'est pas, c'est qu'il choisit plus ou moins tacitement son état ; c'est qu'il jouit dans une certaine mesure de sa servitude. Car un tyran ne peut imposer son ordre à tout un peuple, puisqu'il n'a « que deux yeux, deux mains, un corps, et rien de plus que n'a le dernier des habitants du nombre infini de nos villes ». La soumission est pour lui une forme du « devenir-soi ».

Son ami Michel de Montaigne en revient à la pensée grecque pour affirmer qu'on ne peut se trouver sans écrire sur soi : « Me peignant pour autrui, je me suis peint en moi de couleurs plus nettes que n'étaient les miennes premières. Je n'ai pas plus fait mon livre que mon livre m'a fait, livre consubstantiel à son auteur » (*Essais*, Livre II, chapitre 18). Il s'interroge, dans le dernier chapitre (Livre III, chapitre 13), sur la manière de bien vivre : « Les plus belles vies [...] se rangent au modèle commun et humain avec ordre mais sans miracle et sans extravagance. » Il invite les hommes à vivre pleinement leur vie au lieu de « passer le temps » et de le laisser « couler et échapper » : « Nous n'avons à nous plaindre qu'à nous si [la vie] nous presse, et si elle nous échappe inutilement. [...]. Principalement à cette heure que j'aperçois la mienne si brève en temps, je la veux étendre en poids ; je veux arrêter la promptitude de sa fuite par la promptitude de ma saisie, et par la vigueur de l'usage compenser la hâtivité de son écoulement ; à mesure que la possession du vivre est plus courte, il me la faut rendre plus profonde et plus pleine. » Il faut, pour cela, « étudier, savourer et ruminer » chaque plaisir, et non en jouir « sans le connaître ». Et il faut surtout agir, au lieu de rêver à un avenir meilleur sans le provoquer, comme font ceux qui « outrepassent le présent, et ce qu'ils possèdent, pour servir à l'espérance, et pour des ombrages et vaines images que la fantaisie leur met au devant ». Il ajoute enfin : « Quand je danse, je danse ; quand je dors, je dors ; et quand je me promène solitairement en un beau verger, si mes pensées se sont entretenues des occurrences étrangères quelque partie du temps, quelque autre partie je les ramène à la promenade, au verger, à la douceur de cette solitude et à moi. »

Un siècle plus tard, au moment où, après Shakespeare et Molière, Marivaux et Beaumarchais achèvent d'émanciper les jeunes gens, garçons et filles, un autre voyageur, Jean-Jacques Rousseau, raconte, dans la « Troisième promenade » des *Rêveries du promeneur solitaire*, le chemin qui le conduit à lui-même. Pour lui, le « devenir-soi » ne peut qu'être un devenir vertueux dès lors qu'il s'appuie sur les leçons de l'expérience. Il part d'une phrase attribuée à l'Athénien Solon : « Je deviens vieux en apprenant toujours », avant d'évoquer ses propres avanies, les malheurs qu'il a connus au contact des hommes et de la société, les désillusions qu'il a subies ; il se fixe une nouvelle ligne de conduite : « Soyons pour le reste de ma vie ce que j'aurai trouvé devoir être après y avoir bien pensé. » Il conclut : « Heureux si, par mes progrès sur moi-même, j'apprends à sortir de la vie, non meilleur, car cela n'est pas possible, mais plus vertueux que je n'y suis entré. »

La démocratie et l'esprit d'entreprise deviennent les nouvelles formes du « devenir-soi ».

Un peu plus tard, dans *Qu'est-ce que les Lumières ?*, Emmanuel Kant explique le passage, à son époque, de l'homme d'un état de « minorité » à celui de « majorité ». L'homme (qu'il nomme « enfant ») s'est, dit-il, longtemps complu dans l'ignorance par paresse intellectuelle, guidé dans ses moindres mouvements par les autorités séculières ou régulières. Les hommes doivent maintenant s'affranchir des modèles préconçus de pensée et oser grandir grâce à l'exercice de la raison. Pour Kant, « devenir-soi », c'est avoir l'audace de penser par soi-même et de passer au crible de la raison ce que les autorités (État, Église) présentent comme irréfutable.

Puis se précise le désir des hommes de faire de la liberté individuelle le but ultime de la condition humaine, l'objectif unique, politique et économique, du « devenir-soi ».

Dans *La Phénoménologie de l'esprit*, Hegel s'intéresse à la conscience de soi et à sa reconnaissance par l'autre, qui fait l'humanité de chacun. Elle passe, pour lui, par un combat, dans lequel chacun risque sa vie et qui permet de distinguer le Maître de l'Esclave : le premier, « pure conscience de soi », est celui qui parvient à dépasser l'instinct de conservation et accepte le risque de mourir, tandis que le second ne fait que réaliser que « la vie lui est aussi essentielle que la conscience de soi ». Le travail (*Bildung*) permet à la fois à l'Esclave de s'arracher à sa nature, qui l'a fait se soumettre au Maître, et d'échapper à sa domination. Le Maître et l'Esclave s'élèvent alors ensemble jusqu'à l'humanité, finalité du « devenir-soi », l'un en risquant sa vie, l'autre en transformant le monde par son travail.

Un peu plus tard, quand l'industrie et le capitalisme, le marché et la démocratie prennent le dessus sur l'agriculture et le féodalisme, devenir soi devient, pour Marx, se libérer de l'aliénation et de l'exploitation ; ce qui suppose une double révolution : personnelle pour l'une, collective pour l'autre. Dans les *Manuscrits de 1844*, Marx décrit l'aliénation du travail de l'ouvrier, qui n'est pas « une libre activité physique et intellectuelle », mais un travail forcé qui lui est extérieur et le mortifie. Mettre à bas l'aliénation, devenir soi, implique une prise de conscience pour détruire la marchandisation du travail et de la consommation, de l'État et de la religion. Dans *Le Capital,* après avoir expliqué la nature de l'exploitation, il en déduit que pour s'en libérer, une révolution politique est nécessaire. Dans les *Statuts de l'Association internationale des Travailleurs*, il précise que l'« émancipation de la classe ouvrière doit être l'œuvre des travailleurs eux-mêmes [...] pour l'établissement de droits et de devoirs égaux, et pour l'abolition de toute domination de classe ».

Au même moment, dans la jeune démocratie américaine, l'écrivain Henry David Thoreau tire de cette même recherche sur le « devenir-soi » la conclusion qu'il faut pour cela décider de se retirer du monde, vivre en solitaire. Né dans le Massachussetts en 1817, ayant étudié à Harvard, il renonce aux carrières que lui ouvre son diplôme pour devenir instituteur. Entre 1845 et 1847, il vit dans une cabane au bord de l'étang Walden, à l'écart de la population du Massachussetts. Très critique envers le mode de vie occidental, Thoreau relate sa « révolte solitaire » dans *Walden ou la vie dans les bois.* Pour lui, la vie en solitaire est nécessaire à la construction de soi ; la société corrompt l'homme, paradoxalement seul dans les grandes villes.

Une grande partie de la littérature occidentale est ensuite consacrée à cette quête narcissique de soi dont les écrivains sont les héros et les narrateurs. Pour Léon Tolstoï, le « devenir-soi » passe, comme pour Montaigne, par l'écriture, instrument d'auto-analyse et d'autodétermination ; il y invente sans cesse sa vie, en opposition complète avec les structures politiques, économiques et sociales de son temps, redéfinissant des règles de conduite exigeantes, ce qui l'oriente vers un ascétisme inspiré d'un christianisme réduit à la stricte observance de la loi d'amour.

Cette quête du « devenir-soi » continue avec la théorie psychanalytique développée par Sigmund Freud à la fin du XIXe siècle, qui vise elle aussi à aider l'homme à se libérer de l'aliénation, due à une lutte entre l'inconscient, espace mental où sont contenus des désirs inavouables ou socialement impossibles, et le surmoi, qui les censure. Ces affrontements peuvent aboutir à des névroses – « le moi qui réprime un fragment du ça » (vie pulsionnelle) – ou des psychoses – le moi qui « se met au service du ça en se retirant d'un fragment de la réalité » – qui paralysent l'homme. Pour résoudre ces contradictions, l'analysant est invité, au cours de la cure psychanalytique, à prononcer, sans se restreindre, tous les mots qui lui passent par la tête pour mettre au jour les fondements, contenus dans son inconscient, des pensées ou actions qui le troublent. Cela est censé lui permettre de redécouvrir son passé, d'en assumer l'héritage, et, dans le meilleur des cas, de sublimer ces névroses en sentiments supérieurs.

Pour Marcel Proust, le « devenir-soi » passe également par l'écriture. Elle agit comme un révélateur de la vie et du monde et permet de se réapproprier le passé. La *Recherche du temps perdu* retrace la découverte d'une vocation : c'est, comme le dira Roland Barthes, « le récit d'un désir d'écrire ». Le narrateur explique son projet par ces mots, à la fin du *Temps retrouvé*, qui en disent long sur le rôle de l'introspection dans le « devenir-soi » : « Enfin, cette idée de temps avait un dernier prix pour moi, elle était un aiguillon, elle me disait qu'il était temps de commencer si je voulais atteindre ce que j'avais quelquefois senti au cours de ma vie, dans de brefs éclairs, […] et qui m'avait fait considérer la vie comme digne d'être vécue. Combien me le semblait-elle davantage, maintenant qu'elle me semblait pouvoir être éclaircie, elle qu'on vit dans les ténèbres ; ramenée au vrai de ce qu'elle était, elle qu'on fausse sans cesse, en somme réalisée dans un livre. Que celui qui pourrait écrire un tel livre serait heureux, pensais-je ; quel labeur devant lui ! »

Autres autobiographies imaginaires, *Voyage au bout de la nuit* et *Mort à crédit*, de Louis-Ferdinand Céline, réinventent le vécu de l'auteur au travers du personnage de Ferdinand Bardamu, médecin et écrivain comme lui. *Mort à crédit* est dédié à son enfance et à son adolescence, et s'achève sur son souhait de s'enrôler dans l'armée, tandis que le *Voyage* retrace ses expériences d'adulte. Celles-ci le confrontent aux événements et évolutions, associés à l'exploitation et à la mort, qui ont marqué les débuts du XXᵉ siècle : la Première Guerre mondiale, le colonialisme en

Afrique, le productivisme fordiste, enfin la misère des banlieues. Elles le conduiront à un « devenir-soi » épouvantable.

Autre metteur en scène de sa propre vie, Blaise Cendrars (de son vrai nom Frédéric Sauser-Hall) confie à son frère Georges dès ses vingt-quatre ans : « C'est une question de vie ou de mort que celle de construire sa vie, la plus importante après celle de l'inspiration ; les deux sont d'ailleurs très intimement liées. » Il décrit lui-même la tétralogie qu'il écrit dans les années 1940 – *L'Homme foudroyé*, *La Main coupée*, *Bourlinguer* et *Le Lotissement du ciel* – comme « des mémoires sans être des mémoires ». Il y évoque la Première Guerre mondiale, le voyage à travers les ports d'Europe et « sur les voies du monde intérieur ». Ainsi écrit-il dans *L'Homme foudroyé* : « J'ai pris feu dans ma solitude car écrire c'est se consumer... L'écriture est un incendie qui embrase un grand remue-ménage d'idées et qui fait flamboyer des associations d'images avant de les réduire en braises crépitantes et en cendres retombantes. Mais si la flamme déclenche l'alerte, la spontanéité du feu reste mystérieuse. Car écrire c'est brûler vif, mais c'est aussi renaître de ses cendres. » D'où le nom qu'il se choisit.

Dans le sillage de Freud, Carl Gustav Jung distingue le « Moi » du « Soi ». Le Moi constitue le centre de la conscience et est survalorisé par l'homme occidental qui se veut un être de raison. Le Soi englobe le conscient et l'inconscient et regroupe ainsi la personnalité d'un homme. L'objectif de toute vie est d'atteindre une harmonie entre le conscient et l'inconscient, c'est-à-dire l'harmonie du Soi. « Le Soi est aussi le but de la vie car il est l'expression la plus complète de ces combinaisons du destin qu'on appelle individu », écrit Jung dans *La Dialectique du moi et de l'inconscient.*

Sans doute faut-il aussi citer ici Emmanuel Levinas pour qui le « devenir-soi » exige la prise de conscience de l'Autre, nécessaire à l'intelligibilité de la subjectivité (liberté d'être soi).

Ou encore Paul Ricœur, pour qui, dans *Soi-même comme un autre*, l'Autre n'est pas seulement la contrepartie du même, mais participe à la constitution intime de son sens.

Aujourd'hui, la demande de « devenir-soi » est de plus en plus considérable : prolifèrent les témoignages et les méthodes sur la meilleure façon de prendre le pouvoir sur son esprit et son corps, de perdre du poids, de cesser de fumer ou de boire, de maîtriser ses émotions, de se trouver, de réussir sa vie. Certains expliquent que le « devenir-soi » passe par la découverte de son corps qui, disent-ils, ne ment pas, n'emprunte pas de chemins qui ne mènent nulle part, contrairement au mental. Pour d'autres, il passe par un travail sur soi, le *breakthrough*, qui permet d'engendrer une meilleure prise de conscience.

Aux États-Unis s'est développée depuis plusieurs dizaines d'années une littérature abondante sur le « devenir-soi ». Pour la plupart des auteurs, devenir soi-même est le moyen le plus efficace et le plus direct pour atteindre le bonheur. De nombreux entrepreneurs à succès, coachs en vie privée et psychiatres ont écrit sur le sujet.

Ainsi de Jim Rohn, l'un des premiers coachs en développement personnel, entrepreneur américain né en 1930 et décédé en 2009, élevé dans une famille d'agriculteurs de l'Idaho. Sa publication la plus célèbre a été *The Five Major Pieces to the Life Puzzle* en 1991. Il y développe les cinq fondements de l'existence qui sont, selon lui, la « philosophie » (la manière dont nous pensons), l'« attitude » (la manière dont nous ressentons les choses), l'« activité » (la manière dont nous agissons pour atteindre nos objectifs), le « résultat » (comment nous nous situons par rapport à ces objectifs) et la manière de vivre. Rohn insiste sur la brièveté de l'existence, le devoir d'utiliser efficacement le temps qui nous est imparti et la nécessaire discipline pour mener sa vie.

Ainsi de Margaret Moore et Paul Hammerness, de l'Université de Harvard. Dans *Organize your Mind, Organize your Life*, publié en 2011, ils expliquent cinq principes qui permettent à celui qui les applique d'atteindre une paix ou un ordre intérieur : contrôler ses émotions négatives, se concentrer sur une seule chose à la fois, savoir réagir efficacement aux distractions de l'environnement, utiliser au maximum sa mémoire de court terme et passer avec agilité d'une tâche à une autre.

Ainsi de William Glasser, psychiatre californien disparu en 2013. Il est l'instigateur de la « théorie du choix » et de la « thérapie par le réel ». La théorie du choix est fondée sur trois principes : toute action humaine se traduit par un comportement ; presque tous les comportements sont choisis ; les comportements sont motivés par cinq besoins primaires dont le plus important est l'amour. Les personnes malheureuses sont celles qui ne parviennent pas à bâtir des relations affectives de longue durée avec d'autres. Ce manque affectif se traduit par la démence, la violence ou encore les addictions. Glasser propose sept attitudes à adopter pour nouer des liens durables avec autrui : écouter, accepter, respecter, faire confiance, encourager, soutenir et négocier. La thérapie par le réel consiste à mettre en pratique ces sept attitudes.

Ainsi de l'étude *Harvard Grant*, menée entre 1938 et 2012 sur 268 étudiants de l'Université de Harvard, suivis par des scientifiques qui ont régulièrement collecté des données sur tous les aspects de leur existence. Voici quelques leçons tirées de cette étude par le professeur George E. Vaillant, qui l'a dirigée entre 1966 et 2004 : l'amour et les relations affectives fortes sont les composantes essentielles du bonheur, très loin devant la gloire et l'argent. Les personnes qui réussissent le mieux à nouer de telles relations vivent mieux, plus longtemps, et sont moins stressées. Ceux qui connaissent une enfance malheureuse ne sont nullement condamnés à rester malheureux toute leur vie, bien au contraire. Les défis de la vie peuvent pousser les hommes à se dépasser, sortir d'un narcissisme qui les étouffe pour se tourner vers les autres et ainsi atteindre le bonheur.

Ainsi également dans le discours d'ouverture de la cérémonie de remise de diplômes aux étudiants de Stanford, en 2005, Steve Jobs déduit trois leçons de sa propre trajectoire pour devenir soi : suivre son instinct sans se satisfaire des déterminismes ; retourner chaque situation à son avantage ; choisir constamment de faire ce que l'on aime. Il conclut : « *Stay hungry ! Stay foolish !* »

Le désir de devenir soi est aujourd'hui l'ambition majeure de dizaines, de centaines de millions de gens qui y réfléchissent, l'expriment et s'y essaient.

À vous, lecteurs, de la mettre maintenant aussi en actes, pour vous et les vôtres. Les chapitres suivants visent à vous y aider.

QUATRIÈME PARTIE

LES CINQ ÉTAPES DU « DEVENIR-SOI »

L'Événement, la Pause et le Chemin

Dans ce paysage d'apocalypse et de promesses, de
sauvagerie et de tendresse, le monde appartiendra à
ceux qui, comme dans les innombrables exemples cités
précédemment, auront su renoncer à temps à attendre
quoi que ce soit de qui que ce soit pour prendre en
main leur vie et en faire le meilleur. À ceux qui auront
dit non à toutes les tyrannies, même les plus médiocres
et les plus insidieuses, y compris celles qui se masquent
sous les noms de fatalisme ou de destin. À ceux qui
oseront penser que rien n'est écrit à l'avance, sauf le
devoir d'être libre et heureux, de choisir sa vie. À ceux
aussi qui aideront les autres à en faire autant.

À condition de le vouloir vraiment, de prendre le
temps d'y réfléchir, il est possible, où que l'on soit,
qui que l'on soit, de faire le métier dont on rêve, d'apprendre ce qu'on veut apprendre, de choisir librement son apparence, ses amours, sa sexualité, son
lieu de vie, sa langue, de trouver et d'assumer qui on
est vraiment. Et de refaire tous ces choix plusieurs

fois au cours d'une vie, simultanément ou successivement.

Les gens qui n'y parviendront pas ou ne le voudront pas, ceux qui croiront qu'ils peuvent rester durablement un « résigné-réclamant », verront leur niveau de vie baisser irréversiblement quand les technologies feront fondre toutes les rentes, et quand les États, de plus en plus endettés, perdront leurs ultimes moyens d'assister les citoyens, même les plus faibles d'entre eux.

Les nations qui n'y parviendront pas ou ne le voudront pas iront de déclin en décadence, de décadence en déchéance dans un monde de plus en plus impitoyable et concurrentiel.

Tel sera en particulier le cas de la France dont la chute, entamée il y a au moins vingt ans, s'accélèrera quand tous ceux de ses ressortissants qui auront décider de choisir leur avenir l'auront quittée.

À l'inverse, les nations qui auront accueilli assez de femmes et d'hommes de cette trempe sortiront durablement du marasme actuel et installeront des démocraties vivantes et prospères.

Cela est possible. Pour chacun. Pour tout pays. En particulier pour chaque Français et pour la France.

Car, malgré toutes ces menaces, on l'a vu, d'immenses promesses et de formidables potentialités se trouvent devant nous. Comme au temps de la première Renaissance, les technologies sont plus inventives et puissantes que jamais. Surtout, le désir de liberté, qui constitue comme toujours le principal moteur de l'Histoire, est là sur tous les plans : politique, économique, social, scientifique, éthique, culturel, idéologique.

Bien des gens, tous les jours, en profitent pour choisir leur vie ; on en a évoqué des exemples. Bien plus le feront à l'avenir partout dans le monde.

Pourquoi pas vous ? Pourquoi se laisser aller à attendre des autres un destin meilleur ? Pourquoi ne pas agir ici et maintenant ? Comment s'arracher aux mille formes modernes d'aliénation : matérielles, financières, idéologiques, religieuses, culturelles, ethniques, technologiques ? Par quels ressorts intérieurs trouver le courage de décider de maigrir, de cesser de boire et de fumer, de se prendre en main, de s'arracher à la routine ? de ne pas se contenter de survivre d'une rente, de sortir du statut de « résigné-réclamant » ? de créer son emploi plutôt que d'attendre tout des entreprises et de l'État ? de s'écouter assez pour découvrir son talent intime ? de s'insurger plutôt que de se résigner ? de se révolter plutôt que d'espérer que d'autres le feront à sa place ? de résister plutôt que de collaborer ? de se présenter aux élections plutôt que de critiquer les élus ? de devenir soi plutôt que de maudire son voisin ?

Aucune des pensées dont on a rapidement rappelé les principes ne fournit une réponse exhaustive, universelle et moderne à toutes ces questions.

Ce sera l'objet des prochains chapitres.

CHAPITRE 1

Prendre conscience de son aliénation

Dans le monde d'aujourd'hui, où que ce soit, pour qui que ce soit, devenir soi, prendre sa vie en main n'est jamais, ou presque, le résultat naturel d'une éducation : aucune société n'élève ses enfants pour qu'ils deviennent eux-mêmes ; elles les éduquent au contraire pour qu'ils la reproduisent. Les parents osent rarement pousser leurs enfants à choisir leur propre modèle de réussite, se contentant en général de leur imposer le leur. Et l'orientation scolaire et universitaire, presque partout désastreuse, n'aide en rien à trouver le génie spécifique qui sommeille en chacun.

Il y faut en général un **Événement**. Il peut s'agir d'un choc ou d'une évolution lente, d'un déclic ou d'une longue maturation, d'un conseil stimulant ou d'une contrainte intolérable, d'une grande abondance matérielle ou d'une extrême pauvreté, de la rencontre d'un maître ou d'une rupture avec une famille ou un milieu, d'une situation qui force à se prendre en main ou d'une routine étouffante, de la volonté d'être absolument soi-même ou d'une irrésistible envie de devenir autre, de la rencontre avec soi ou de la rencontre d'un Autre dont la présence suscite une rupture avec soi. L'Autre, condition si souvent nécessaire et suffisante du « devenir-soi »...

Mais l'Événement, quel qu'il soit, en général ne suffit pas. Il faut (en particulier pour ceux aux yeux de qui le « devenir-soi » n'est pas une évidence) un moment d'isolement au moins sur le plan mental, une phase de silence, de concentration, de méditation – une **Pause**.

Pendant cette pause, il convient de parcourir un **Chemin** en cinq étapes que voici :

1/ Comprendre les contraintes imposées à sa vie par la condition humaine, par les circonstances et par les autres.

2/ Se respecter et se faire respecter ; réaliser qu'on a droit à une belle et bonne vie, à du beau et du bon temps.

3/ Admettre sa solitude ; ne rien attendre des autres, même de ceux qu'on aime ou qui nous aiment ; et, grâce aux étapes précédentes, la vivre comme une source de bonheur.

4/ Prendre conscience que sa vie est unique, que nul n'est condamné à la médiocrité, que chacun a des dons spécifiques. Et qu'on peut même, au cours de sa vie, en mener plusieurs, simultanément ou successivement.

5/ On est alors enfin à même de se trouver, se choisir, prendre le pouvoir sur sa vie.

Au bout de ce chemin qui peut et doit être revisité plusieurs fois au cours d'une même existence, qui peut se parcourir en une heure ou en plusieurs années, on doit ressentir comme un arrachement, une désintoxication, une libération par rapport à sa dépendance antérieure, proche de ce que certains nomment « éblouissement » ou « pleine conscience », que j'appelle ici **Renaissance.**

Idéalement, une telle réflexion doit ête menée dès l'enfance pour se préparer aux meilleurs choix ; il n'est jamais trop tard pour l'entreprendre.

Elle peut – et doit – l'être plusieurs fois au cours d'une même vie, à intervalles réguliers, et chaque fois que les événements imposent un nouveau choix.

La première étape sur le chemin du « devenir-soi » est la prise de conscience de son aliénation.

Et d'abord celle des contraintes inhérentes à l'humaine condition : indépendamment de toute croyance en une vie éternelle ou une résurrection, chacun doit d'abord mesurer la brièveté de la vie sur terre, sa précarité.

Pour y parvenir, un exercice peut se révéler utile : visualiser chaque minute de sa propre vie, passée et à venir, comme l'un des grains de sable qui s'écoulent d'un sablier. Le tas de sable au fond de l'ampoule transparente représente le déjà-vécu ; on peut tenter d'associer mentalement chaque grain à un événement particulier de son passé. Pour ce qui est de son avenir, impossible de discerner les grains de sable qui le représentent : on ne voit que celui qui est en train de tomber ; chaque grain nouveau, chaque instant que l'on vit est peut-être le dernier. L'ampoule supérieure du sablier de la vie est opaque.

On continue en réalisant que, comme tout être humain, on n'a choisi ni la date, ni le lieu de sa naissance, ni son milieu d'origine. Celui-ci on n'a ni à en être fier, ni à le maudire. C'est une donnée, une contrainte, une limite à la liberté.

On continue en osant enfin se poser quelques questions difficiles sans se mentir à soi-même : Suis-je aliéné à la nourriture ? à la boisson ? à une drogue ? à des idéologies ? à des pouvoirs économiques, politiques ou religieux ? Puis-je m'en dégager quand je le veux ou en suis-je totalement dépendant ? Qu'ai-je fait de ma vie jusqu'à aujourd'hui ? Ai-je choisi librement mes critères de réussite ? le lieu de ma résidence ? mes études ? mon partenaire sentimental actuel ? mon métier ? mes enfants ? Ai-je vraiment cherché à découvrir et mettre en valeur mes dons ? De quels chagrins suis-je fait ? De quels bonheurs suis-je construit ? Suis-je véritablement limité par mes moyens matériels ? par ma paresse ? Suis-je la victime des tragédies que j'ai pu traverser ou les ai-je provoquées ? Suis-je contraint par l'importance que j'attache au bonheur des autres ? Suis-je condamné à la médiocrité ? à une vie semblable à celle des autres ? Suis-je résigné ? Suis-je content de l'être ? Et si tout ce que j'estime être aujourd'hui, de même que mon projet de vie, n'était en fait qu'une fiction que je me raconte chacun à moi-même pour me rassurer ?

Beaucoup – presque tous les humains – font tout pour ne pas répondre à ces questions. La plupart des sociétés font tout pour aider, voire exhorter chacun à ne pas se les poser.

Pour y répondre, encore faut-il oser affronter son histoire, celle de ses ancêtres, la culture qu'on a héritée ; voire, si possible, ses secrets de famille.

Plus modestement, il faut passer en revue chaque moment de ses journées pour voir lesquels sont vraiment libres, choisis, ou pourraient le devenir si on osait le vouloir.

Cette première étape ne suppose pas nécessairement de passer par une longue analyse ou par toute autre technique thérapeutique : le passé n'est pas une maladie. Elle doit se parcourir de préférence seul face à soi-même, en se posant ces questions, en suivant son propre chemin intérieur, pour accéder à cette connaissance de soi dont parlent les philosophes. Pour certains, celle-ci peut être facilitée par le truchement d'un autre à qui parler : un amour, un ami, un professionnel.

Elle doit en tout cas permettre de prendre conscience de son aliénation au temps qui a fait naître en un lieu et à un moment donnés et qui prive de l'immortalité ; aussi de sa dépendance à des idées, des concepts, des valeurs, des croyances héritées ; d'analyser et d'assumer enfin ses marges de liberté, ses forces et ses faiblesses.

Cette conscience de ses limites ne conduit pas nécessairement à renoncer à ses convictions ou à l'héritage de ses ancêtres. Elle ne conduit pas non plus, par elle-même, à vouloir changer de vie, et à renoncer au statut de « résigné-réclamant ».

Elle peut même conduire à rejeter les réponses à ces questions, à ne pas les assumer, tant elles peuvent sembler par trop désespérantes. Comme le chante le groupe Fauve dans sa chanson *Requin Tigre* : « Je suis nulle part, je vais nulle part, je suis pétrifié. Et je serai jamais rien d'autre que ça. Il faut choisir de pas y penser... »

Pareil choix incite à ne pas aller plus loin que cette première étape et à se replier sur son statut de « résigné-réclamant ».

Si, à l'inverse, on réussit à affronter ces vérités, aussi difficiles soient-elles, cette première étape permet de prendre conscience du rôle que chacun joue dans l'aliénation des autres : ainsi, en donnant le jour à des enfants, nous leur conférons aussi le statut de mortels ; et on les aliène quand on veut leur faire croire, consciemment ou inconsciemment, qu'ils ne sont là que pour poursuivre ce qu'on a commencé, ou pour réussir là où on a échoué.

Plus généralement, on est acteur de l'aliénation des autres quand on pense qu'ils doivent, si peu que ce soit, nous obéir ou se plier à nos désirs.

Cette prise de conscience des limites permet enfin de construire lucidement une conscience de soi ; ce qui donne envie d'aller plus loin, d'avancer sur le chemin de la confiance en soi.

Tel est l'aboutissement de cette première étape.

CHAPITRE 2

Se respecter et se faire respecter

Ayant jaugé son aliénation, mesuré la précarité de sa vie, réalisé d'où on vient, analysé son parcours, ses envies, ses forces, une fois prise une pleine conscience de son corps et de son esprit, une fois installée, par le jeu même de cette prise de conscience, l'irrésistible envie d'aller plus loin vers la confiance en soi, en découle la possibilité de faire prévaloir le respect de soi.

Se respecter : étymologiquement, regarder en arrière et avoir des égards, de la considération pour soi ; se juger digne de sa propre estime ; considérer sa vie comme précieuse pour soi et pour les autres.

Après la prise de conscience de son corps, la première dimension du respect de soi passe par son entretien, le refus de toute addiction ; la pratique d'un sport, le soin de son apparence, l'amour de l'image de soi que renvoient les miroirs et le regard des autres ; et, si ce n'est pas le cas, de tout faire pour la changer et surveiller sa santé : l'hypocondrie est, avec mesure, une des dimensions du respect de soi.

Le respect de soi exige également de se préciser à soi-même ses valeurs, ce qu'on entend par le Bien et le Mal, et d'en hiérarchiser les diverses formes ; de décider ce sur quoi on est prêt ou non à transiger ; de distinguer entre l'important et l'accessoire, entre la satisfaction immédiate et l'investissement dans une plénitude de plus long terme.

Un exercice peut être utile pour installer ce respect de soi : désigner en cinq mots ce qu'on entend respecter. Des vocables tels que propreté, élégance, honnêteté, sincérité, politesse, savoir-vivre.

Le respect de soi suppose de prendre au sérieux quotidiennement ces mots et les valeurs qu'ils recouvrent, de tenir les promesses qu'ils impliquent ; de se former et de se réformer sans cesse en utilisant le meilleur de ses capacités ; de viser sans répit l'excellence de soi.

Ce qui conduit aussi à ne pas se mentir ; à ne pas s'épargner ; à analyser et comprendre ses échecs ; à identifier ses responsabilités ; à comprendre ce qu'on peut attendre et espérer de soi ; à ne pas esquiver la vérité sur soi, sur ses tares, ses secrets de famille ; à refuser la perspective de mourir sans avoir fait ce qu'on s'était promis d'accomplir.

Le respect de soi conduit aussi à écarter la haine de soi, à ne pas se mépriser, à penser qu'il y a nécessairement en soi quelque chose qui mérite d'être mis en valeur ; que rien n'est perdu, qu'on a droit, comme tout un chacun, à une belle et bonne vie, à du beau et bon temps.

Il conduit aussi à ne pas chercher à tout prix à être plaint ou consolé, à être prêt à admettre la réalité de mauvaises nouvelles ou de perspectives difficiles ; à ne pas se morfondre et trouver plaisir à être malheureux ; à être préparé à saisir dans le malheur de nouvelles opportunités.

Le respect de soi conduit à trouver une force intérieure, à atteindre lucidité et intériorité, intégrité et courage ; il fortifie le désir de vivre ; il prépare à affronter les aléas de la vie sans optimisme béat ni pessimisme inhibant.

Il renvoie une image sereine et positive de soi à son entourage et conduit à en être respecté : de fait, comment espérer être respecté d'autrui si on ne se respecte pas soi-même ?

Il conduit, réciproquement, à respecter autrui, miroir et source du respect de soi.

Tel est l'aboutissement de la deuxième étape.

CHAPITRE 3

Ne rien attendre des autres

La troisième étape sur le chemin du « devenir-soi », où puiser le courage nécessaire pour se débrouiller après avoir mesuré son aliénation et ressenti le besoin de se respecter, consiste à prendre conscience de sa solitude, à ne rien attendre des autres.

La solitude est, avec la brièveté de la vie, une des dimensions de la condition humaine les plus pénibles à admettre. L'homme ne peut que difficilement s'y résoudre, ni comme espèce vivante dans l'univers, ni comme individu sur cette planète. L'essentiel de l'aliénation dont chacun est victime trouve d'ailleurs sa source dans les mille et une ruses religieuses, politiques, économiques, familiales, sentimentales, visant à nous faire croire que nous ne sommes pas seuls ; en nous assignant des tâches, en suscitant en nous des désirs, en nous fournissant des occasions de nous distraire avec d'autres, en nous immergeant dans des foules parmi lesquelles nous nous croyons entouré et protégé, en nous enivrant de mille et une façons, en nous faisant dialoguer avec des dieux ou un Dieu.

Et pourtant, même si nous sommes croyants, même si nous sommes entourés, aimés, soutenus par des amours, des parents, des amis, aussi sincères soient-ils, nous sommes seuls. Même si ceux qui nous aiment nous apportent tendresse, passion, soutien, consolation ; même s'ils nous aident à construire, à créer ; même s'ils nous consolent de nos chagrins ; même s'ils nous permettent d'échapper à certaines contraintes ; même s'ils sont à l'origine de l'Événement qui nous révèle à nous-même, les Autres, tous les Autres ne peuvent nous soustraire à la solitude inhérente à l'humaine condition : ils peuvent, à l'extrême, mourir à notre place en nous sauvant la vie ; mais, même ce faisant, ils ne nous font pas échapper à notre solitude.

Pis encore, peut-être, nous sommes d'une certaine façon seuls vis-à-vis de nous-même : chaque étincelle de notre conscience de soi, chaque dimension de notre personnalité est seule, sans réel recours possible aux autres aspects de nous-même.

Assumons-le : personne d'autre que nous ne peut exprimer notre raison d'être. Personne d'autre que nous n'est habilité à définir nos aspirations, à choisir notre projet de vie. Personne ne peut mieux que nous choisir ce que nous voulons être dans dix minutes, dans deux jours ou dans dix ans.

On trouve dès lors le courage de ne compter sur personne, d'oser ne rien attendre des autres : ni amour, ni argent, ni soutien, pas plus de sa famille, de ses amis, de ses relations, des autorités qui représentent les autres, que de quelque sauveur que ce soit. En particulier, il ne faut attendre aucun secours des patrons ni de l'État.

Le courage, aussi, de vivre comme si on savait que ce soutien ne viendrait pas aux moments où on pourrait en avoir le plus besoin. Et, s'il vient, que ce soit par surcroît.

Ne rien attendre de ceux qu'on aime ne veut pas dire qu'il faille les négliger, mais, bien au contraire, qu'il faut leur dispenser de l'amour sans en attendre en retour : ne rien attendre de ses amours est ne pas introduire une dimension d'intérêt dans l'affection qu'on leur porte. Ne rien attendre de ses relations est ne pas les considérer comme un réseau de soutien, mais comme un réseau de confiance mutuelle et d'échange. Ne rien attendre de ses patrons ne veut pas dire qu'il faille renoncer à revendiquer une juste rémunération ; ne rien attendre de l'État ne veut pas dire qu'il faille se soumettre à tous les oukases des pouvoirs, ni renoncer à faire valoir ses droits, ni à défendre ses intérêts.

Davantage, même : cela veut dire aussi qu'il faut craindre que le pire puisse advenir des autres, y compris de ceux dont on pourrait espérer aide et compréhension. Et que ce pire est même probable, car la solitude fragilise face au Mal.

Prendre conscience de sa solitude conduit donc à prendre la mesure de ce qui menace, et pousse à devenir – un peu – paranoïaque.

Tel est l'aboutissement de la troisième étape.

CHAPITRE 4

Prendre conscience de son unicité

Parcourir les trois premières étapes (reconnaître ses limites, se respecter, prendre conscience de sa solitude) doit susciter une révélation, un éblouissement qui conduira plus loin sur le chemin du « devenir-soi ». Il fait prendre conscience de son unicité, de ce qu'on n'a qu'une vie à vivre, et qu'elle est nécessairement différente de toutes les autres.

L'unicité est l'autre versant de la solitude.

Même si plusieurs milliards d'individus vivent en ce moment même sur cette planète, même si des millions de tâches identiques doivent être accomplies sur tous les continents, aucun être humain, depuis l'aube des temps, n'est semblable à aucun autre. Chaque humain est unique, différent de tous les autres, biologiquement, géographiquement, culturellement, historiquement. Chacun dispose de caractéristiques que nul n'a jamais eues avant lui et que nul n'aura après lui. Chacun a des pensées uniques. Chacun emprunte, pour penser et vivre, des itinéraires qui lui sont propres.

Chacun peut faire pour soi et pour d'autres, dans son travail et le reste de sa vie, des choses que personne d'autre n'a faites et ne pourrait faire de même façon. Les exemples déjà évoqués ont bien montré que même le plus handicapé, le plus pauvre, le plus tragiquement éloigné de lui-même, le moins conscient de ses propres dons, peut apporter quelque chose de spécifique au monde, rendre un service unique, se trouver. Personne n'est condamné à mener une vie dictée par les autres ; nul n'est condamné à ne pas être lui-même.

La quatrième étape de cette introspection est donc une réflexion sur ce en quoi on est différent des autres ; sur son unicité dans l'univers ; sur les circonstances qui ont pu nous conduire à l'oublier ; sur le soin à prendre pour ne plus la négliger.

Il faut dès lors comprendre que le but ultime de toute vie n'est en aucun cas « survivre » en « résigné-réclamant », mais de « sur-vivre » en créateur, autrement dit de mener une « sur-vie » définie selon ses propres valeurs et ses aspirations ; une vie que personne d'autre ne pourrait concevoir de même façon.

Elle conduit à renverser la table, à ne pas faire ce que les autres attendent de soi, à cesser de penser sa réussite en fonction de critères imposés par les autres, à ne rien faire qui pourrait être fait aussi bien par d'autres, à ne pas occuper une fonction qu'un autre pourrait mieux remplir, à tenter de ne faire que quelque chose d'unique, à tenter de découvrir ce qui est unique en soi, de quels dons on dispose.

Et cela est vrai tant pour son métier que dans ses amours, sa façon de vivre, son lieu de vie, ses distractions.

Même si on est contraint, par la vie, au moins pour un temps, à ne pas faire le métier dont on a envie, on peut le faire autrement que tout autre, chercher son unicité en d'autres domaines que le travail en attendant d'en changer. Par exemple, si on doit durablement exercer une profession qui ne correspond pas à sa vocation ou à son talent, il existe maintes façons de l'exercer ; et on peut, tout en cherchant à lui échapper au plus tôt, trouver son unicité, dans ce qu'on collectionne, dans des loisirs ou des bricolages qui peuvent finir, on l'a vu, par devenir un métier. Et mieux encore, dans l'amour qu'on prodigue aux autres.

Cela doit enfin conduire à trouver le courage de se choisir plusieurs fois, de se débrouiller sans répit, différemment.

La bonne vie, la bonne « sur-vie » est une existence où l'on se cherche en permanence, où l'on se trouve et se perd mille fois successivement ; et aussi, si possible, simultanément.

La vie ne peut rester unique, justement parce qu'elle est unique.

Tel est l'aboutissement de la quatrième étape.

CHAPITRE 5

Se trouver, se choisir

Une fois franchies ces quatre étapes, après avoir dépassé la peur de l'échec et assumé le doute, inhérents à l'action, on réalise qu'on est beaucoup plus libre de se choisir un projet de vie qu'on ne le croit ; qu'on l'est à tout âge ; qu'on peut être, pour soi, l'utopie dont on rêve pour le monde. Comme l'écrit Pierre Rabhi dans sa préface à *La Planète au pillage* de Fairfield Osborn : « L'utopie a besoin d'un espace vierge libéré des schémas conventionnels qui stérilisent l'imagination en laissant entendre que l'impossible n'est pas possible. »

C'est aussi ce que veut dire l'anthropologue américain Carlos Castaneda quand, au début de *L'Herbe du diable et la petite fumée*, il explique que don Juan Matus, le sorcier yaqui, sans doute imaginaire, qu'il a choisi pour maître lui demande d'abord de ramper dans la pièce où se déroule leur conversation pour y trouver sa « place », celle d'où il pourra recevoir son enseignement.

Trouver sa place est l'aboutissement de ces quatre premières étapes. On comprend dès lors que le chemin qui précède est nécessaire pour que ce choix de vie, ce « devenir-soi », soit intégré, solidement enraciné. Et pas seulement une réaction de colère contre le pouvoir des autres, contre l'impuissance de l'État, contre sa solitude et ses échecs. Une confiance en soi, une sérénité qui permette de penser : oui, je suis capable ; oui, je suis meilleur que je le crois. Oui, je peux agir ! Oui, je peux réussir !

Voilà qui permet enfin de trouver le courage de franchir la dernière étape et de choisir quels dons inexploités, physiques, artistiques ou intellectuels, quelle passion étouffée on peut enfin se décider à mettre en œuvre. Devenir soi n'est jamais devenir violent, sinon quand, sacrifice ultime, le « devenir-soi » des autres, leur liberté, suppose le don de soi.

Hors de ces extrêmes, rien ne doit limiter ce choix, ni l'âge ni l'argent : les exemples évoqués plus haut montrent que la réussite vient autant à des démunis qu'à des héritiers, et que le choix de vie peut avoir lieu à tout moment. Tout dépend du chemin parcouru, en un éclair ou en dix ans, pour rassembler l'énergie qu'on y met, les forces qu'on entend y consacrer, l'audace qu'on veut bien y investir.

En particulier, le choix d'un métier peut alors conduire à révéler une vocation enfouie depuis l'enfance ; ou à la transformation d'une distraction, d'un sport ou d'un passe-temps en activité à temps plein. Cela passe évidemment par une formation, une orientation, une curiosité nourrie par les quatre étapes précédentes.

Pour certains, le choix est de créer une entreprise en devenant soit un « entrepreneur de l'envie », soit un

« entrepreneur de la survie ». Chez les premiers, l'entrepreneuriat est en grande partie la conséquence, si ce n'est d'une passion, au moins d'un intérêt marqué pour un domaine donné. La passion suscite en eux des idées, les aide à entrevoir des opportunités qu'ils décident de mettre à profit en créant une entreprise dans un domaine clairement souhaité. Chez les seconds, l'entrepreneuriat est principalement la conséquence d'un besoin, celui de survivre ou de mieux vivre ; on devient alors entrepreneur dans un domaine de hasard pour nourrir sa famille, payer les études de ses enfants, sortir des bidonvilles, se réorienter après un licenciement. On peut aussi bien être l'un et l'autre. Dans tous les cas, l'ambition ne doit pas être de chercher un emploi, mais des gens à qui rendre service, c'est-à-dire des clients, puis de chercher quel service n'est pas encore rendu et pourrait l'être d'une façon si satisfaisante que des gens pourraient y consacrer une partie des ressources qu'ils consacrent pour l'heure à autre chose. Devenir soi exige d'avoir un projet et donc de penser à long terme.

Voilà qui incite aussi à comprendre quelle sexualité, quel amour, quel pays choisir. On comprend alors que l'on ne peut devenir soi professionnellement ou personnellement qu'en s'appuyant sur les autres. En les aidant à devenir eux-mêmes.

Et quand, malgré tout, on ne fait pas le choix de ce qu'on croit vouloir, ni dans sa vie privée ni dans sa vie professionnelle ni dans une action politique ou militante, si on fait consciemment le choix de retourner au statut de « résigné-réclamant », au confort de

l'aliénation, sans plus invoquer le prétexte ou la justi-
fication de contraintes, c'est qu'on est retenu par l'an-
goisse du choix, qui rend la liberté parfois plus difficile
à vivre que la dictature. C'est que son soi-disant projet de vie n'est qu'une image de soi qu'on aime à ren-
voyer aux autres. Et que la jouissance de l'esclavage
est le projet de vie.

Cela conduit enfin à comprendre que chaque Autre,
voisin ou lointain, est aussi un être plein, entier, pro-
metteur. Et que se choisir peut être aussi aider les
autres à en faire autant. Que les anciens sont des tré-
sors en sommeil, que les jeunes sont des promesses à
tenir, que tous sont des génies à découvrir. Et que les
aider peut faire partie intégrante de son propre bonheur : on reçoit beaucoup de ceux à qui on donne.
Ainsi, pour apprendre, il faut enseigner ; partager un
savoir est une formidable façon de faire surgir des
idées enfouies en soi. Rien n'est plus passionnant
que d'aider en particulier les enfants à se trouver, à
comprendre en quoi ils sont uniques.

Mais toute médaille a son revers : choisir d'aider
les autres à se trouver peut conduire à s'en faire des
ennemis ; car nul n'aime devoir quoi que ce soit à
qui que ce soit ; et bien des débiteurs n'ont rien de
plus pressé que d'oublier, voire haïr leurs créanciers.

Il faut donc être préparé, si on choisit d'aider les
autres à se trouver, à affronter jalousie et ingratitude :
si on a bien parcouru tout ce chemin, ce risque peut
être assumé avec le sourire.

CONCLUSION

Devenir soi, ici et maintenant

J'espère vous avoir convaincu que vous pouvez échapper à la routine, vous trouver ; au moins une fois dans votre vie. Et qu'en agissant ainsi, vous réussirez non seulement votre vie, mais vous influerez aussi positivement sur celle des autres, sur le succès de votre pays, sur l'abondance du monde.

« Rien de nouveau sous le soleil », dit l'Ecclésiaste. Cela veut-il dire que nous sommes condamnés à ne vivre que la répétition du même ? à répliquer les vies de nos anciens ? Non, répondent les exégètes, cela veut dire au contraire que le nouveau est au-dessus du soleil, qu'il faut oser sortir des règles, penser autrement ; penser pour soi, par soi. Se penser pour devenir soi.

Alors, je vous le dis : prenez-vous en main, libérez-vous des conformismes, des idéologies, des éthiques et des déterminismes de toute nature. N'attendez plus rien de personne. Écoutez-vous. Ayez le courage d'agir. Rien ne justifie de se résigner, d'accepter les faits accomplis, de n'attendre que de l'autre la réponse à des difficultés personnelles. Et, en particulier, de l'attendre des puissants ou de l'État. La bonne vie est une vie où l'on se cherche sans cesse, où l'on se trouve mille fois successivement ou simultanément.

Parfois, devenir soi passe par la souffrance ; parfois cela requiert plusieurs générations. Comprenez que, si vous n'agissez pas pour vous et pour ceux que vous aimez, vous serez bientôt, vous et les vôtres, dans une situation bien pire que celle d'aujourd'hui. Bien pire que celle que vous pouvez redouter. La croissance, l'emploi, la démocratie dépendent du « devenir-soi ».

Vous pouvez le faire d'abord dans votre vie privée. En prenant le pouvoir sur vous, en prenant conscience que vous êtes aliéné et que vous pouvez échapper à un destin fixé d'avance. Même si vous n'avez pas la chance d'être soumis à un choc qui vous fait prendre conscience que vous n'êtes pas à votre place ; ni la chance d'être entraîné par un, ou une Autre, vers la prise de conscience de soi, vous pouvez découvrir qui vous êtes et le réaliser.

Vous pouvez aussi le faire dans votre travail. Si vous êtes chômeur, au lieu d'attendre une offre d'emploi, créez votre entreprise ; si vous êtes salarié avec un emploi précaire, ennuyeux ou aliénant, inventez vous-même une nouvelle façon de faire votre métier, plus amusante et plus créative, ou quittez votre emploi pour vous former et créer le vôtre. Si vous êtes chef d'entreprise, n'attendez pas de baisse d'impôt pour investir ou embaucher ; et si vous êtes artiste, n'attendez pas de commande publique ou privée pour créer.

Si vous n'aimez pas ce que vous consommez, refusez-le ; consommez des produits qui ne dépendent pas des autres, donc produits ou fabriqués par soi : le jardinage et le bricolage sont une première étape vers le « devenir-soi ». En particulier, la pratique de la musique, plus que sa consommation, est une dimension du « devenir-soi ».

Vous pouvez aussi gérer votre patrimoine d'une façon telle que son évolution dépende le moins possible des autres ; débarrassez-vous autant que possible des actifs dont la valeur évolue au gré de décisions qui peuvent vous échapper. Et, en particulier, ne dépendez pas de l'espérance d'héritages : l'héritage est la négation même de la prise de contrôle de sa propre vie.

Enfin, si vous êtes gouverné, gouvernez ! Agissez d'abord comme si le monde vous était, au mieux, indifférent ; au pire, hostile. Et si vous voulez le changer, n'attendez pas que les politiques s'en occupent. Prenez votre vie en main sans rien attendre ni des générations précédentes, ni des générations à venir, ni de l'État, ni de la famille, ni des patrons. Où que vous soyez, n'ayez plus confiance dans les partis actuels, ni dans les syndicats. Adhérez-y pour les transformer. Faites surgir des organisations nouvelles, vraiment conscientes des enjeux du futur, capables d'agir sans se préoccuper d'une réélection.

On ne peut devenir soi dans un pays qui s'abandonne. Et, réciproquement, un pays ne peut réussir à survivre s'il ne suscite pas suffisamment de désir de s'y prendre en main.

Plus nombreux seront ceux qui ne se résigneront pas, meilleur sera l'avenir du monde. Plus de gens prendront le pouvoir, plus profonde sera la démocratie, plus seront libérées des énergies, plus seront créées des richesses et des œuvres d'art.

Une société, une nation, un monde, peut n'être composé que de gens ayant réussi à devenir soi. Le monde n'a pas besoin d'esclaves. Et quand il le saura, il inventera plus de robots pour les remplacer.

*

* *

C'est vrai en particulier en France, où la situation devient particulièrement difficile, où les « résignés-réclamants » sont légion, et le seront de plus en plus, où les rentes étouffent ceux qui ne se résignent pas.

Depuis trop longtemps, trop d'hommes d'inaction se sont succédé au pouvoir. En vain. D'autres menacent qui veulent enfermer le pays dans un « devenir-soi » nostalgique et purificateur. Le pays ne se redressera que si d'autres que les acteurs politiques actuels osent s'engager pour en libérer les capacités créatrices. Pour cela, ils devront tout faire pour faciliter le « devenir-soi » de chaque citoyen ; en particulier faire en sorte que les cinq étapes du Chemin qui y conduit soient enseignées dès l'enfance, et lors de toute étape d'orientation, de l'école à l'université et, au-delà, dans la formation permanente.

*

* *

Quand bien même beaucoup de gens se lèveraient, demain, pour se prendre ainsi en main, se débrouiller par eux-mêmes, devenir soi, il faudra rester vigilant ; car le marché, par une de ses ruses plus sophistiquée, offrira sans cesse de nouveaux moyens de détourner leur besoin de devenir soi et de le transformer en désir de résignation : faisant croire qu'il peut offrir à tout un chacun les moyens de prendre le pouvoir sur sa propre vie, il mettra en vente des objets et des services inédits pour prévoir et maîtriser son devenir, en réalité pour autosurveiller sa propre soumission à des normes, pour surveiller soi-même tous les paramètres de son existence, pour contrôler en réalité la réalisation d'un « devenir-soi » défini par d'autres. Principalement par des compagnies d'assurance et des propriétaires de données.

Magnifiques ruses du capitalisme qui, anticipant l'éventualité d'une demande de réappropriation de la vie par les gens, leur en offrira le spectacle sous couvert d'assurer leur sécurité, de les protéger de la mort, en réduisant en fait leur libre arbitre à l'auto-surveillance de leur soumission à des normes.

Puis, si l'on n'y prend garde, si le vrai « devenir-soi » ne l'emporte pas, les « résignés-réclamants », autosurveillés, se couvriront de prothèses pour finir par devenir robots : des robots « résignés » parce que réifiés ; des robots « réclamants » parce qu'ayant besoin d'énergie et de réparations.

Le capitalisme aura alors atteint son but ultime : transformer les hommes en choses travaillantes et consommantes, pures sources de profit. Avant qu'il ne disparaisse lui-même, faute de ressources humaines et matérielles à exploiter.

Ce processus peut sembler extravagant. Pourtant, il est déjà en marche. Non qu'il existe quelque part un complot qui l'organise et l'impulse. Mais parce que le cours naturel du marché conduit celui-ci à anticiper mieux qu'aucun autre système, en particulier mieux que la politique, les besoins à venir des gens pour les transformer en marchandises.

Je ne suis pour autant ni fataliste ni pessimiste : la transformation progressive des hommes, devenus « résignés-réclamants », en robots immortels, sur une planète désolée, n'est pas inexorable ; d'abord parce qu'une résistance immédiate est possible. Elle est en marche : c'est l'objet de ce livre. Ensuite parce que, même si l'homme devient un jour un robot, j'ose espérer que la conscience aura alors échappé au cerveau où elle niche aujourd'hui, pour l'essentiel : la dématérialisation de la conscience de soi sera l'ultime refuge de la liberté.

En attendant, avant même que ne se livre cette bataille finale entre l'esprit et la matière, le monde appartiendra à ceux qui osent et oseront refuser d'être « résignés-réclamants » pour prendre le pouvoir sur leur propre vie, en suivant le chemin ici esquissé.

CONCLUSION

*

* *

En écrivant ce livre, j'ai conscience que je dois, comme tout le monde, appliquer les conseils que j'y dispense. C'est ce que j'ai toujours fait jusqu'ici, n'ayant jamais rien attendu de personne ; n'ayant jamais occupé que des fonctions créées par moi ; ayant toujours tenté, au mieux, de trouver mon bonheur dans le fait d'être utile aux autres ; ayant toujours fait ce qui me semblait le mieux pour le monde en y créant des institutions internationales, et pour mon pays par mes conseils, aussi longtemps que j'ai pensé qu'il y existait des hommes politiques capables de mettre en œuvre les réformes que je pensais utiles.

REMERCIEMENTS

Je remercie Florian Dautil, Laurine Moreau, Antoine Roger de Gardelle, Étienne Mallengier qui ont bien voulu vérifier les sources et les exemples cités dans ce livre.

Je remercie Arnaud Ventura, Joël Pain, Alain Thuleau et toutes les équipes du groupe PlaNet Finance et du Mouvement de l'Économie positive, pour m'avoir permis de rencontrer bien des entrepreneurs positifs ici cités.

Je remercie Luc Ferry, Xavier Bertrand, Pierre-Henry Salfati, Pascale Toscani pour nos conversations sur certains passages du livre.

Je remercie mes éditeurs Claude Durand, Sophie de Closets et Diane Feyel, dont les relectures attentives m'ont été, comme toujours, si précieuses.

Plus que jamais, j'attends les commentaires de mes lecteurs à j@attali.com

DU MÊME AUTEUR

Essais

Analyse économique de la vie politique, PUF, 1973.
Modèles politiques, PUF, 1974.
L'Anti-économique (avec Marc Guillaume), PUF, 1975.
La Parole et l'Outil, PUF, 1976.
Bruits. Économie politique de la musique, PUF, 1977, nouvelle édition, Fayard, 2000.
La Nouvelle Économie française, Flammarion, 1978.
L'Ordre cannibale. Histoire de la médecine, Grasset, 1979.
Les Trois Mondes, Fayard, 1981.
Histoires du Temps, Fayard, 1982.
La Figure de Fraser, Fayard, 1984.
Au propre et au figuré. Histoire de la propriété, Fayard, 1988.
Lignes d'horizon, Fayard, 1990.
1492, Fayard, 1991.
Économie de l'Apocalypse, Fayard, 1994.
Chemins de sagesse : traité du labyrinthe, Fayard, 1996.
Fraternités, Fayard, 1999.
La Voie humaine, Fayard, 2000.
Les Juifs, le Monde et l'Argent, Fayard, 2002.
L'Homme nomade, Fayard, 2003.
Foi et Raison – Averroès, Maïmonide, Thomas d'Aquin, Bibliothèque nationale de France, 2004.
Une brève histoire de l'avenir, Fayard, 2006 (nouvelle édition, 2009).
La Crise, et après ?, Fayard, 2008.
Le Sens des choses, avec Stéphanie Bonvicini et 32 auteurs, Robert Laffont, 2009.
Survivre aux crises, Fayard, 2009.
Tous ruinés dans dix ans ? Dette publique, la dernière chance, Fayard, 2010.
Demain, qui gouvernera le monde ?, Fayard, 2011.
Candidats, répondez !, Fayard, 2012.
La Consolation, avec Stéphanie Bonvicini et 18 auteurs, Naïve, 2012.

Avec, nous, après nous… Apprivoiser l'avenir, avec Shimon Peres, Fayard/Baker Street, 2013.
Histoire de la modernité. Comment l'humanité pense son avenir, Robert Laffont, 2013.

Dictionnaires

Dictionnaire du XXIe siècle, Fayard, 1998.
Dictionnaire amoureux du judaïsme, Plon/Fayard, 2009.

Romans

La Vie éternelle, roman, Fayard, 1989.
Le Premier Jour après moi, Fayard, 1990.
Il viendra, Fayard, 1994.
Au-delà de nulle part, Fayard, 1997.
La Femme du menteur, Fayard, 1999.
Nouv'Elles, Fayard, 2002.
La Confrérie des Éveillés, Fayard, 2004.
Notre vie, disent-ils, Fayard, 2014.

Biographies

Siegmund Warburg, un homme d'influence, Fayard, 1985.
Blaise Pascal ou le Génie français, Fayard, 2000.
Karl Marx ou l'Esprit du monde, Fayard, 2005.
Gândhî ou l'Éveil des humiliés, Fayard, 2007.
Phares. 24 destins, Fayard, 2010.
Diderot ou le bonheur de penser, Fayard, 2012.

Théâtre

Les Portes du Ciel, Fayard, 1999.
Du cristal à la fumée, Fayard, 2008.

Contes pour enfants

Manuel, l'enfant-rêve (ill. par Philippe Druillet), Stock, 1995.

Mémoires

Verbatim I, Fayard, 1993.
Europe(s), Fayard, 1994.
Verbatim II, Fayard, 1995.
Verbatim III, Fayard, 1995.
C'était François Mitterrand, Fayard, 2005.

Rapports

Pour un modèle européen d'enseignement supérieur, Stock, 1998.
L'Avenir du travail, Fayard/Institut Manpower, 2007.
300 décisions pour changer la France, rapport de la Commission pour
la libération de la croissance française, XO/La Documentation
française, 2008.
Paris et la Mer. La Seine est Capitale, Fayard, 2010.
Une ambition pour 10 ans, rapport de la Commission pour la
libération de la croissance française, XO/La Documentation
française, 2010.
Pour une économie positive, groupe de réflexion présidé par Jacques
Attali, Fayard/La Documentation française, 2013.
Francophonie et francophilie, moteurs de croissance durable, rapport
au Président de la République, La Documentation française,
2014.

Beaux-livres

Mémoire de sabliers, collections, mode d'emploi, Éditions de l'Amateur,
1997.
Amours. Histoires des relations entre les hommes et les femmes, avec
Stéphanie Bonvicini, Fayard, 2007.

Composition et mise en pages
Nord Compo à Villeneuve-d'Ascq

Fayard s'engage pour
l'environnement en réduisant
l'empreinte carbone de ses livres.
Celle de cet exemplaire est de :

0,500kg éq. CO_2

PAPIER À BASE DE   Rendez-vous sur
FIBRES CERTIFIÉES   www.fayard-durable.fr

Achevé d'imprimer en France
par JOUVE
en juin 2016

N° d'impression : 2402525Y

Dépôt légal : septembre 2014
75-0006-4/19